我笔下的马小跳是一个真正的孩子，我想通过这个真正的孩子，呈现出一个完整的童心世界。

中国原创品牌童书　传奇经典畅销十年

# 漂亮女孩夏林果

杨红樱◎著

浙江出版联合集团
浙江少年儿童出版社

# 杨红樱 Yanghongying 语录

其实每个孩子在小的时候，都会有他特别关注的异性，这是很自然的。我作品中写到这些，也是在进行情感教育。无论是在童年期还是在青春期，都会有某一类男生吸引某一类女生，或某一类女生吸引某一类男生，这是必然要发生的。我认为根本不需回避，只需告诉他们，这其实不是爱情，而是一生当中最没有功利、最干净的情感。

成人世界对孩子而言，充满了困惑和不解，而他们自己的童心世界，又充满了想象力和求知欲，还有不能与人分享、必须独自承受的成长的疼痛，这使他们的内心不得不长出许多的秘密。我非常尊重孩子的秘密，我曾经在一本书中写过一句话：没有秘密的孩子，不是真正的孩子。

宝贝儿妈妈
马天笑
夏林果
丁克舅舅
唐飞
小非洲
杜真子

秦老师
马小跳
轰隆隆老师
林老师
女校长
路曼曼
安琪儿
张达
毛超
牛皮
丁文涛

## 本集明星人物

### 马小跳

四年级的小男生，一个完好地保持着孩子天性的孩子，一个理直气壮地做着孩子的孩子。他有情有义，敢作敢为，对朋友赤胆忠心，却经常遭到朋友背叛。他大错不犯，小错不断，是老师办公室的常客。在办公室里垂头丧气，一走出来便欢天喜地。

### 夏林果

马小跳班上最漂亮的女生。马小跳做梦都想和她同桌，不是因为她漂亮，而是因为她是学校的大队长，只管学校的大事，不会去管马小跳的闲事。还因为她从小练芭蕾舞，眼睛永远盯着前方，不会盯着马小跳在干什么。让马小跳对她产生特别好感的，是她的善解人意。她是真正懂马小跳的，包括他的一些奇怪的想法和做法。就是这样一个近乎完美的女孩，也有嫉妒别人的时候，也有装模作样的时候。

# 目录

Mulu

MAXIAOTIAO

# 漂亮女孩夏林果

PIAOLIANGNVHAIXIALINGUO

# 漂亮女孩夏林果

如果把夏林果藏在人堆里，谁都能一眼就把她找出来。因为她太出众了——她的背永远挺得笔直；她的眼睛永远平视前方，不看两边；她的下巴永远抬得老高；她的脚尖永远向外成八字，走起路来，膝盖永远不弯……只有从五岁就开始练芭蕾舞的人，才能这样与众不同。

在马小跳最暗无天日的时候，他曾经非常非常想跟夏林果同桌。

马小跳是让秦老师最头疼的学生，秦老师不能每堂课都管他，就把中队长路曼曼派来跟他同桌，监视他的一言一行。这样，马小跳的每一个小动作，都逃不过她的眼睛。

马小跳应该还算得上是一个善良的孩子，可他也有“邪恶”的念头一闪而过的时候：他希望路曼曼是个睁眼瞎，虽然在他的身边，但看不见他在干什么。

有一次，马小跳一不小心，听到路曼曼在说夏林果的坏话：“瞧她目中无人的样子，会跳芭蕾舞有什么了不起？”

马小跳把“目中无人”这个词语琢磨了半天。“目中无人”的意思就是

看见你就像没看见你似的。如果夏林果是马小跳的同桌，她的眼睛里根本就不会有马小跳，马小跳想干什么就干什么，干了什么，也不用担心秦老师知道。

马小跳想入非非。他从来都口无遮拦，心里藏不住事儿，有事不说出来，他会憋得很难受。

马小跳去找张达说。

“张达，你猜我最想跟谁同桌？”

“毛刀，”张达不仅结巴，还是个大舌头，他叫“毛超”是“毛刀”，“你想上……上课跟他讲话。”

马小跳说：“我才不想跟毛超同桌。”

“那你想……想跟唐飞同桌，你想……上课吃他的东西。”

马小跳嘴一撇：“那个小气鬼，用枪押着我，我也不跟他同桌。”

“嘿嘿！”张达笑得很难为情，“你是不是想跟我……”

“别自作多情。”马小跳不想把这猜谜的游戏再玩下去了，“告诉你吧，我想跟夏林果同桌。”

“不许你想！”

刚才还嬉皮笑脸的张达翻脸翻得这么快，还一点都不结巴了，让马小跳莫名其妙。

“我为什么不能想？”

“不能想就是不能想！”

这叫什么话呀？张达要蛮横起来真像一头不讲理的蛮牛。

幸好马小跳不止有张达这么一个好朋友，他还有毛超，还有唐飞，他找他们说去。

马小跳去找毛超，他直截了当地对他说，他想跟夏林果同桌。

“马小跳，你什么意思呀？”

毛超笑得很怪，不知他脑袋瓜儿里又在转什么怪念头。

马小跳说：“我没什么意思。”

“没什么意思？”毛超笑得更怪了，“你怎么不想跟安琪儿同桌，偏偏想跟夏林果同桌？”

安琪儿是全班最丑最笨的女孩子，偏偏又是马小跳

的邻居。放学的时候，她总想跟马小跳一道回家，但马小跳不喜欢跟她一道走。当然，换了是夏林果，马小跳是十分乐意跟她一道回家的。

“是不是因为夏林果pretty，你就想跟她同桌？”

毛超的英语成绩并不好，但有几个英语单词是用得十分频繁的。其中“pretty”就经常挂在嘴上。

马小跳说：“我是因为夏林果‘目中无人’，不会监视我，不会去向秦老师打小报告，所以才想跟她同桌的。”

毛超马上反驳道：“安琪儿更不会监视你，更不会去向秦老师打小报告，你为什么不想跟安琪儿同桌？”

还是好朋友呢！得不到他们的同情，得不到他们的支持，好朋友有什么用？

马小跳把最后一线希望，寄托在好朋友唐飞的身上。唐飞现在正跟夏林果同桌，他希望唐飞能把夏林果让给他。

唐飞除了在吃的方面小气一点，其他方面好像都满

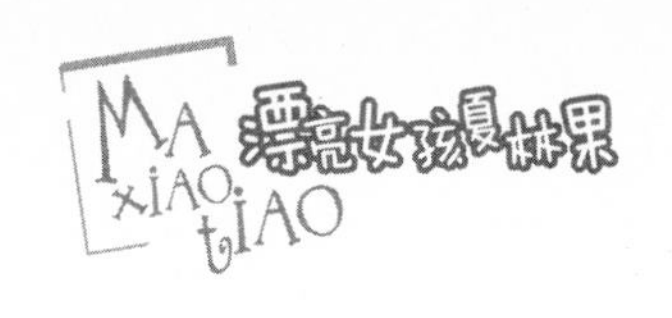


不在乎的样子。但愿对于他的同桌，他也满不在乎。

马小跳准备了一袋牛肉干，就去找唐飞，表达了他的愿望。

“什么？”唐飞差点儿跳起来，“你再说一遍。”

马小跳把他的愿望又说了一遍，然后递上那包牛肉干。

“唐飞，你同意了？”

“我同意什么啦？”唐飞往嘴里扔着牛肉干，“就是我同意了，秦老师也不同意。”

马小跳想入非非：“如果你主动去跟秦老师说，把夏林果让给我……”

“马小跳！我警告你，你再说让我把夏林果让给你，我就……”

唐飞平时懒洋洋的，脸上没什么表情，现在他脸上的表情挺吓人的。可马小跳不怕他，他把脸迎上去：“你，你就怎么样？”

“我就打你！”

唐飞还真打，一拳打在马小跳的鼻子上，把马小跳的鼻血打出来了。

马小跳扑过去，按翻唐飞，他俩就这样在地上滚来滚去，滚来滚去，也看不出谁打赢了，谁打输了。后来，被两个高年级的校值日拉起来，要把他们送到校长那里去。

在去校长办公室的路上，唐飞掏出纸巾来，帮马小跳把脸上的鼻血擦干净，还问他痛不痛。

马小跳没感觉到痛，他只是心里不明白：为什么想跟夏林果同桌就这么难？

# 秦老师挖思想

两个戴红袖章的校值日押着马小跳和唐飞来到校长办公室。校长一看又是马小跳，眉头就皱了起来："马小跳，你又怎么啦？"

两个校值日争着要向校长报告，校长没时间听，让两个校值日带着马小跳和唐飞去找他们的班主任秦老师。

两个校值日板着脸，一本正经地押着马小跳和唐飞往秦老师的办公室走去。

走着走着，马小跳和唐飞就勾肩搭背起来。

校值日把他们分开，可分开不到一分钟，他们又勾肩搭背在一起了。

校值日再一次把他们分开，马小跳朝他们吼："干吗把我们分开？"

唐飞也朝他们吼："他又不是我的敌人。"

校值日说："你们刚才打架了。"

"可我们现在和好了。"

马小跳抱抱唐飞，唐飞也抱抱马小跳，表示他们真的和好了，希望校值日不要再把他们送到秦老师那里去。

"不行！"校值日断然拒绝，"你们打架的事情，必须要让你们秦老师知道。"

好不容易轮到当一回校值日，又好不容易逮住了两个打架的人，校值日岂能轻易放过他们！

校值日押着勾肩搭背的马小跳和唐飞来到秦老师的面前。

秦老师看了一眼马小跳，又看了一眼唐飞，脸上一点表情都没有，司空见惯的样子。

校值日想引起秦老师的重视："他们两个打架，把鼻血都打出来了。"

秦老师看看唐飞，又看看马小跳："谁把谁的鼻血打出来了？"

"他把他的鼻血打出来了。"

秦老师扳过马小跳的脸，对着光看，脸上根本没有血迹。

唐飞十分诚实："我帮他擦干净了。"

"哦！"秦老师点点头，"为什么打架？"

不能说为了夏林果打架。马小跳悄悄握住了唐飞的手。两只手紧紧地握在一起，表示他们宁死也不说的决心。

"不说吗？不说你们就站在这里，一直站到等你们的家长来接。"

唐飞可等不了那么久。每天下午六点，他都要看电视台的动画片《神探柯南》。

"我说我说！"

马小跳没想到唐飞这么快就要当叛徒。他使劲儿拽住唐飞的手，不让他说。

这个时候，唐飞绝对是《神探柯南》第一，和马小跳的友谊第二。他甩掉马小跳的手，坦白说：“马小跳要我把夏林果让给他，跟他同桌，我不让，顺便给了他一拳，他的鼻子本来就爱流血……”

事情好像有点严重，秦老师脸上的表情在迅速地发生着变化：由惊愕变成了愤怒。

“马小跳，唐飞说的是事实吗？”

如果说马小跳身上有九十九个缺点，只有一个优点，那么这个优点就是敢作敢为。

马小跳承认唐飞说的都是事实。

秦老师说：“唐飞，你可以走了。”

唐飞走了，头也不回。这时候，他的心里只有《神探柯南》，哪里还有马小跳？

等唐飞和两个校值日都走了，秦老师去搬了一把椅子来，放在自己的身边，让马小跳坐下。

马小跳一看这阵势，就知道秦老师要挖他的思想了。挖思想是一件细致的工作，不能急，要慢慢地挖，

所以秦老师每次要挖马小跳的思想，都搬一把椅子让马小跳坐下。

“马小跳，”秦老师的声音比平时温柔，只有用温柔的声音，才挖得出思想来，“你跟秦老师说，为什么想跟夏林果同桌？”

马小跳想说因为他不想跟路曼曼同桌。话到嘴边，马小跳又把它咽了回去。这话可不能在秦老师的面前说，路曼曼可是秦老师最喜欢的学生，是秦老师把她派来跟马小跳同桌的。马小跳像咽口水一样咽下那句话，然后就不再说话了。

“马小跳，为什么不说话？你是不是喜欢夏林果？”

马小跳点点头，又摇摇头。

秦老师说：“你又点头，又摇头，到底是喜欢，还是不喜欢？”

马小跳说：“有时候喜欢，有时候不喜欢。”

“说具体点。”秦老师循循善诱，“什么时候喜欢，什么时候不喜欢？”

马小跳实话实说：“她理我的时候，我就喜欢；她

不理我的时候，我就不喜欢。”

“这么说，你还是喜欢夏林果？”

马小跳不吭声了。就算默认吧，他本来就喜欢夏林果，男子汉敢想就敢当。

秦老师已经把马小跳的思想挖出来了，说话的声音便没有刚才那么温柔了。

“马小跳，还真看不出来，你小小年纪，思想竟这么不健康！”

身体不健康，就是身体有病；思想不健康，就是思想有病。

马小跳说：“我思想没有病。”

“你还说没有病！”秦老师提高了嗓门，“你才多大呀！你就喜欢人家夏林果？”

马小跳一脸无辜，十分认真地问：“秦老师，你说我要长到多大才能喜欢夏林果？”

秦老师知道，马小跳不是故意气她，他就是这样的孩子，心里怎么想就怎么说。

“马小跳，我不跟你浪费时间。”

秦老师不再理马小跳，她拉开抽屉，找出一沓信纸，刷刷地写起来。写了满满一张纸，折起来装在一个信封里。

秦老师没找到胶水，她把没封口的信交到马小跳的手上："马小跳，你帮我把这封信交给你家长，你能办到吗？"

"没问题。"

马小跳很乐意帮秦老师做事，只是很难得有这样的机会。平时，秦老师要找人做事，会找像路曼曼和丁文涛这样的人，根本轮不上他马小跳。

马小跳拿着那封没封口的信，欢天喜地地向家里跑去。

# 插着三根孔雀毛的信

马小跳回到家里，要做的第一件事情，就是把秦老师托他带回来的那封信封起来。刚才秦老师没找到胶水，没封口，虽然马小跳一路上都是把信捧在手上的，但他压根儿就没想过要把这封信抽出来看一看，看秦老师到底给他的家长写了些什么。马小跳不是没有好奇心，他有很强的好奇心，而且，他也知道秦老师写的这封信，写的就是他。但是，马小跳从小就知道，别人的信和别人的日记，是不可以偷看的。

马小跳用他的固体胶水把信封口封好。为了引起他老爸马天笑先生的重视，他要把这封信变成鸡毛信，就是在信封上粘三根鸡毛，表示这封信很重要，表示十万火急。

找来找去，家里没鸡毛，只有几根插在花瓶里的孔雀毛，那是宝贝儿妈妈从云南的西双版纳带回来的。

孔雀毛太长，马小跳只好剪下最漂亮的那一部分，就是有眼斑的那部分，粘在信封上，一共粘了三根，就像三只亮晶晶的蓝眼睛。

马小跳把这封插着三根孔雀毛的信，放在那个金奖杯下面，这是马天笑先生在世界玩具博览会上获得的，是马天笑先生的宝贝，每天回家，他都得先看一眼他的宝贝。

今天，马天笑先生回家特别早。像往常那样，他先到陈列柜前看他的金奖杯，当然，一目了然，他看到了压在金奖杯下面那封插着三根孔雀毛的信。

“这是谁的信？”

“秦老师给你的信。”马小跳说，“这封信很重要哦！

本来应该是鸡毛信，因为没有鸡毛就粘了孔雀毛。”

马天笑先生也不拆信，举着那封信，挺好玩似的：“这孔雀毛是秦老师粘的还是你粘的？”

马小跳老老实实地承认是他粘的。

马天笑先生又问信里写的是什么。

“我怎么知道？”马小跳说，“信是写给你的，又不是写给我的。”

马天笑先生先拆开信，展开信纸读起来。读着读着，马天笑先生的脸就一点一点地严肃起来。马天笑先生很少有严肃的样子，他一严肃，脸上的五官就错位，变得很滑稽。

“马小跳啊，你过来，我得严

肃地跟你谈一谈。”

马小跳走过来，跟马天笑先生面对面地坐着。

“谈什么?”

马天笑先生还没准备好谈什么。他又把秦老师的信从头到尾读了一遍，这才说：“马小跳，秦老师说你思想很复杂啊!”

马小跳傻傻地望着马天笑先生，他不知道这话是褒还是贬。刚才，秦老师当着他的面说他思想不健康，现在又在信里说他思想复杂。他的思想到底怎么啦?

“马小跳，你跟那个叫夏林果的女孩子，到底是怎么一回事?”

“能有什么事?”马小跳翻翻白眼，“人家都不理我。”

“人家都不理你，你还去喜欢人家?”马天笑先生恨铁不成钢，“马小跳，你真不像我的儿子。”

“夏林果有时候也理我。”马小跳想给自己捞回一点面子，“我只不过想跟她同桌，不想跟路曼曼同桌。”

“是不是因为夏林果长得好看，你就想跟她同桌；路曼曼长得不好看，你就不想跟她同桌……”

“老爸……”

马天笑先生不让马小跳插话，接着往下说：“其实，路曼曼长得也不难看，她笑起来的时候也挺好看的。”

“可她对我从来不笑。”

马小跳的语气有点狠。

“那夏林果对你笑吗？”

“她也不笑。”马小跳说，“我们班的女生，只有安琪儿对我笑。”

“那你跟安琪儿同桌好啦！”

“老爸——”

马小跳大喝一声，朝马天笑先生扑过去。

“好好，我投降！我投降！”

马天笑先生还要忙其他的事情，他要结束他和马小跳的这场谈话。

“马小跳，你马上写份保证书，明天交到秦老师那里去。”

“保证什么？”

“保证你今后不再喜欢夏林果。”

“喜欢夏林果是一件坏事吗？”

“也不是坏事，只是……”

马小跳很认真地看着马天笑先生，听他往下说。

“只是……”马天笑先生自圆其说，“你现在还小……”

“小就不能喜欢吗？”马小跳抢着说道，“难道因为小，就不能喜欢你，不能喜欢宝贝儿妈妈吗？”

简直是强词夺理。

马天笑先生说：“你喜欢夏林果，跟喜欢我、喜欢宝贝儿妈妈是不一样的。”

“怎么不一样？”

马天笑先生跟马小跳说不清楚怎么个不一样来。

“还说我思想复杂。”马小跳撇撇嘴，“是你们大人的思想复杂，还是我们小孩子的思想复杂？”

马天笑先生无话可说。他觉得马小跳说得有道理，因为大人的思想复杂，所以把简单的事情都搞复杂了，把单纯的情感也搞复杂了。

马天笑先生没有强迫马小跳再写保证书。为了捍卫马小跳那份可爱的单纯，他宁愿自己明天去学校，站在秦老师面前挨训。

# 夏林果换座位

马天笑先生老老实实地站在秦老师的面前，像个规矩的小学生。因为马天笑先生经常被秦老师叫到学校去，所以秦老师对他的态度就不像对别的家长那么客气。

“对马小跳进行教育了吗？”

马天笑先生点头哈腰：“教育了！教育了！”

“给他讲清楚了早恋的危害性吗？”

“早恋”这个词把马天笑先生吓了一跳。但他又不能反驳秦老师，只好小心翼翼地赔笑脸："嘿嘿，秦老师，没那么严重吧？"

"还说不严重？"秦老师的两条眉毛拧起来，嗓门也大起来，"这样发展下去，后果不堪设想！"

"秦老师，你先别生气！"马天笑先生安慰秦老师说，"其实，我在读小学的时候，好像也喜欢过一个女孩子，只是在心里喜欢而已，也没出什么事儿。现在要想起来，童年时代的这种情感，特纯真，特美好……"

马天笑先生一脸神往，沉醉在童年时代那种特纯真、特美好的情感里，根本没注意到秦老师的脸已被他气得变了形。

"有其父必有其子。"秦老师再一次对马天笑先生失望了。要教育好马小跳，要让马小跳"悬崖勒马"，压根儿就不能指望像马天笑先生这样的家长。

秦老师客气地请马天笑先生离开了学校。该怎么教育马小跳，她已经成竹在胸。

秦老师第一步要做的，就是拉开马小跳和夏林果的距离。夏林果的座位在马小跳的后面，她要把夏林果

调去跟丁文涛同桌，那是距马小跳的座位最远的一个座位。

等马天笑先生一走，秦老师就到教室去给夏林果调座位。

马小跳的反应最强烈：“秦老师，为什么要给夏林果换座位？”

秦老师不理他，心里却在说：“还好意思问，还不是因为你马小跳！”

马小跳一点都不知道是他的原因，他还以为是唐飞的原因。

唐飞喜欢跟夏林果同桌，他上课爱吃东西，夏林果也不管他。这一点，唐飞最满意。全世界那么多人，如果要选同桌，他只会选择夏林果，其他的人通通不要。现在，秦老师不再让夏林果跟他同桌，唐飞感到很伤心。

唐飞爱哭，他的泪腺特别发达，一哭起来，泪珠就像断了线似的，稀里哗啦地往下落。

一边是马小跳愤怒的叫，一边是唐飞伤心的哭，秦老师的心乱极了。

“唐飞，你哭什么？”

“老师，老师，我知道他哭什么。”毛超的嘴巴永远闲不住，“夏林果不跟他同桌了，他很难过。”

“我知道，不用你说。”

秦老师白了毛超一眼，毛超赶紧闭上他的嘴巴。

夏林果一点都不难过。他们在那里吵来吵去，好像跟她一点关系都没有。她十分平静地把桌上的文具盒、

课本，一一收进书包里，然后迈着她那跳芭蕾舞的外八字步，头也不回地向她的新座位走去。

马小跳始终没有想通：夏林果和唐飞同桌同得好好的，秦老师为什么要给夏林果换座位？

秦老师从爱护马小跳的角度出发，她要为马小跳守住秘密，她不会跟班上的同学讲，她为什么要给夏林果调座位。

秦老师不讲，像猴子一样精的毛超还是猜出来了。在放学路上，毛超凑到唐飞身边。因为夏林果不跟他同桌了，唐飞闷闷不乐，无精打采。

“唐飞，你知道秦老师为什么给夏林果换座位吗？”

唐飞很不耐烦：“我怎么知道？我又不是她肚子里的蛔虫。”

“你不知道我知道。”毛超故作神秘地说，“告诉你吧，这都是因为马小跳。”

“马小跳？”

唐飞眨巴着眼睛，他不明白这跟马小跳有什么关系。

“马小跳喜欢夏林果，秦老师不准他喜欢，就把夏林果调开，离他远远的。”

唐飞觉得毛超的分析很有道理，就要去找马小跳算账。

马小跳就在他们的旁边，也是闷闷不乐、无精打采的样子。

唐飞冲过去就给马小跳一拳。

马小跳也给唐飞一拳。他不明白唐飞为什么打他，也来不及问，还他一拳再说。

这时，班上有几个男生围过来看热闹，其中也有丁文涛。

一看见丁文涛，马小跳和唐飞马上化干戈为玉帛，一起对着丁文涛吼：“你看什么看？”

丁文涛说：“我为什么不能看？”

马小跳说：“就不许你看！”

“不看就不看！”

丁文涛走了。毛超问马小跳：“你愿意夏林果跟丁文涛同桌，还是跟唐飞同桌？”

马小跳当然愿意夏林果跟唐飞同桌，唐飞毕竟是他的好哥们儿，打得再厉害，他们也是好哥们儿。

毛超说他有一个办法，可以让夏林果回来跟唐飞同桌。

“什么办法？”

马小跳和唐飞都凑近毛超。毛超一手拉着马小跳的一只耳朵，一手拉着唐飞的一只耳朵，说出了他的那个办法。

# 喜欢的反义词是讨厌

毛超说的那个办法，就是让马小跳到秦老师那里去承认错误，再向秦老师保证，以后不再喜欢夏林果，再向秦老师请求，请秦老师把夏林果调回来跟唐飞同桌。

又要向秦老师承认错误，又要向秦老师保证，对马小跳来说，真的是太委屈了。但一想到丁文涛那趾高气扬的样子，马小跳一门心思地要帮唐飞把夏林果争回来，他会不顾一切。

马小跳一回到家里就写保证书，那天他老爸叫他写都没写，现在为了他的好朋友唐飞，为了对付那个讨厌的丁文涛，写份保证书算什么？又不是没写过，从一年级到现在，不知写过多少份保证书了。

马小跳十分认真地写着保证书，其实好多事情他都没有想通。比如“喜欢夏林果”，完全是别人强加给他的罪名，直到现在他还是稀里糊涂的。他没对夏林果怎么着啊，他只不过不想跟路曼曼同桌，想跟夏林果同桌，想想而已，就成了天大的错误，马小跳想不通。还有，今后对夏林果应该是什么态度？喜欢的反义词是讨厌，马小跳在他的保证书上真的写下了“保证今后讨厌夏林果”这样的句子。

第二天，马小跳拿着他的保证书来到秦老师的办公室。

“秦老师，我错了。”马小跳递上他的保证书，“这是我的保证书。”

秦老师有些莫名其妙。她没叫马小跳来认错，也没叫他写保证书呀！

秦老师把保证书看了一遍，指着“保证今后讨厌夏林果”那个句子，问马小跳为什么要讨厌夏林果。

马小跳说："讨厌是喜欢的反义词。"

"马小跳，你又错了。"秦老师批评道，"同学之间，怎么能讨厌呢？"

"又不准我喜欢，又不准我讨厌，到底要我怎么样？"

马小跳真的很无奈。

秦老师说："你要端正思想，把心思放在学习上。"

"秦老师，如果我端正思想，把心思放在了学习上，你是不是可以把夏林果的座位换回来？"

秦老师终于明白马小跳来认错、来交保证书的目的了。

"马小跳，你别再胡思乱想！"

秦老师还有事情，让马小跳回教室去。

马小跳刚一回到教室里，唐飞和毛超就跑来问结果。

马小跳本来有一肚子气，正好撒在这两个人的身上。他就将秦老师最后说的那句话转移给了唐飞。

“唐飞，你别再胡思乱想！”

“毛超，你别再给我出馊主意！”

这一天，马小跳觉得自己很窝囊：违心地向秦老师认错，违心地写那份该死的保证书，违心地保证今后要讨厌夏林果……

马小跳，你真不是个东西！

马小跳想打自己，但打哪儿都疼，所以他最终没有打自己。

没有什么烦恼的事情，可以把马小跳烦上十分钟。不到十分钟，马小跳便把那些窝心的事儿全抛到九霄云外去了。

马小跳又成了快乐的马小跳。

下午放学，轮到马小跳做清洁，所以他没有像往常那样跟唐飞他们几个一块儿走。

马小跳刚出校门，就被夏林果拦住了。她一直在这

里等着马小跳。

“马小跳，你为什么要讨厌我？”

夏林果不像是生气的样子，她的声音柔柔的，眼睛里也没有泪花。

马小跳说：“我不讨厌你。”

“你讨厌我。”夏林果有根有据，“你在保证书里写了今后要讨厌我。”

“你怎么知道？谁告诉你的？”

不用夏林果回答，马小跳就知道是毛超告诉她的。毛超嘴上的毛病很多，除了爱讲废话，还爱传小话。

“你说呀，马小跳，你为什么要讨厌我？”

夏林果不依不饶，她一定要问出个“为什么”来。从小到大，她就像一个高贵的小公主，生长在一片赞美声中。赞美的话听多了，夏林果已经麻木了。今天冷不丁听说马小跳讨厌她，倒使夏林果对马小跳刮目相看，她一定要知道马小跳为什么要讨厌她。

“你说呀马小跳，你为什么要讨厌我？”

夏林果黏上了马小跳，寸步不离。

这时候，马小跳的感觉好极了。平日里，夏林果根本不理他，连正眼也不瞧他，现在却像个跟屁虫似的跟在他后面，甩都甩不掉。

马小跳大摇大摆地走着，不回答夏林果的问题。其实，他也没法回答夏林果的问题，因为他根本就不讨厌她。

马小跳越不理夏林果，夏林果越觉得他有款有型，与众不同。

“马小跳，你好酷哦！”

马小跳差一点激动得大叫。除了那个又笨又丑的安琪儿夸过他，从来没有哪个女生夸过他。何况，在马小跳的心目中，夏林果是全世界最高傲、最漂亮的女生。

夏林果一直跟着马小跳，跟到了他的家门口。以马小跳的热情好客的性格，他应该请夏林果到他家去，他还会请她吃各种颜色的水晶果冻。不过，今天的马小跳好像突然长了许多见识，他知道，如果他一旦表现出对夏林果的热情，夏林果马上就会失去对他的热情。

马小跳连正眼都不瞧夏林果："我到家了。"

夏林果还想缠住马小跳不放："马小跳，求求你，告诉我吧！"

马小跳的心里乐开了花，但他的脸还硬绷着："夏林果，我不会告诉你！我永远也不会告诉你！你走吧！"

夏林果走了。马小跳在后面看着她，看她低着头，也不知道她是不是哭了。

就在那一瞬间，马小跳的心软了，但很快又硬起来：对漂亮女生就得这样，你越不理她，她偏要来理你。

明白这个道理，是马小跳这一天最大的收获。

# 好癞蛤蟆

尽管马小跳违心地做出对夏林果不理不睬的样子，但是，关于“马小跳喜欢夏林果”的谣言，还是在班上流传开来。其他同学都只是说说而已，只有两个人不是说说而已，他们是真的生气。这两个人，一个是马小跳的同桌路曼曼，一个是夏林果的同桌丁文涛。

路曼曼和夏林果表面上是好朋友，心里面并不是真正的好朋友。夏林果是大队委，路曼曼是中队长，夏林果管的是学校的事情，路曼曼只能管班上的事情。所

以，路曼曼在心里对夏林果是不服气的。现在，又听说马小跳喜欢夏林果，连她自己都不明白，她为什么会生那么大的气。

“马小跳，你是不是喜欢人家夏林果？”

马小跳永远是跟路曼曼对着干的。看见路曼曼生气，他就高兴。

“我就是喜欢，关你什么事？”

路曼曼命令马小跳：“我不许你喜欢！”

马小跳嬉皮笑脸：“我偏喜欢。”

路曼曼使出撒手锏，掏出那本专门记录马小跳不良表现的小本子，就要往上面记。

马小跳不怕路曼曼记，他说：“秦老师早就知道了。”

路曼曼没辙了。没辙的时候，她就会去找丁文涛。

“什么？马小跳喜欢夏林果？”

丁文涛生气的程度绝不亚于路曼曼。他自己也不明白，他为什么会生这么大的气。

“马小跳，你不自量力，自作多情，自以为是，自

高自大，自说自话，自……自我毁灭……”

丁文涛自封“成语大王”，他从上幼儿园起就开始背成语，所以只要他开口说话，成语就会一个接一个地蹦出来。要不是路曼曼打断他，从他的嘴里还不知要蹦出多少个成语来。

“丁文涛，你说我们怎么办吧？”路曼曼很着急的样子，“我们中队委总得管管他吧！”

丁文涛说:“他这是癞蛤蟆想吃天鹅肉，你能拿癞蛤蟆怎么办?”

丁文涛说的意思是，中队委是管不了癞蛤蟆的。

但是，路曼曼却坚持中队委管得了癞蛤蟆。

“癞蛤蟆就是癞蛤蟆，癞蛤蟆是不能吃天鹅肉的。”

路曼曼和丁文涛说的话，不知怎么被毛超知道了。他十万火急地在操场上找到马小跳，马小跳正和张达、唐飞打乒乓球。

“马小跳，马小跳，丁文涛说你是癞蛤蟆。”

唐飞、张达都围了过来。

张达问:“什么癞……蛤蟆?”

毛超说:“就是癞蛤蟆想吃天鹅肉。”

张达他们几个还是一头雾水。

毛超说话喜欢添油加醋:“丁文涛说，谁喜欢夏林果，谁就是癞蛤蟆。”

这不等于是说，张达、唐飞、马小跳，包括毛超自己，都是癞蛤蟆吗?张达永远忘不了，在一次运动会上，夏林果曾经给他系过一次鞋带;唐飞一辈子都只想跟夏林果同桌；毛超特别喜欢在夏林果面前表现自己；马小跳就更不用说了，在他的心目中，夏林果是全世界最漂亮、最可爱的女生。他们都不会承认自己喜欢夏林果，但他们都认为丁文涛说的癞蛤蟆，就是说的自己。

张达首先发怒："丁文涛在……哪里？"

马小跳一挥手："走，找他去！"

等他们在教室里找到丁文涛，上课铃却响了，四只"癞蛤蟆"只好作罢，心里都在对丁文涛说："放学以后，有你好看！"

下午放学后，四只"癞蛤蟆"埋伏在丁文涛的必经之路上，等丁文涛摇头晃脑地走过来，四只"癞蛤蟆"像四个拦路大盗，从矮树丛后跳出来，横在丁文涛的面前。

"你们要干什么？"丁文涛把掉在鼻尖上的眼镜扶上去，"我又没有惹你们。"

"你就是惹了我们。"毛超振振有词，"你说我们'癞蛤蟆想吃天鹅肉'！"

马小跳一挺胸脯："不想当将军的士兵不是好士兵，

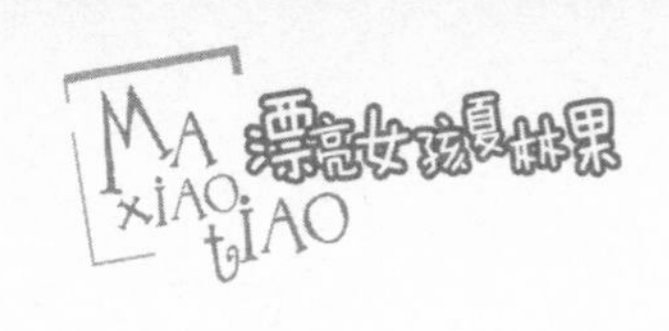


不想吃天鹅肉的癞蛤蟆不是好癞蛤蟆！”

“我承认你们是好癞蛤蟆，行了吧？”丁文涛觉得他们几个好可笑，“你们放我走吧！”

人家已经承认了他们是好癞蛤蟆，再不放人家走，好像也没什么道理。

他们把丁文涛放走了。

四只“好癞蛤蟆”勾肩搭背地往回走。

唐飞突然有些想不通：“‘癞蛤蟆’跟‘好癞蛤蟆’有什么区别？”

马小跳是这样解释的：“想吃天鹅肉的是‘好癞蛤蟆’，不想吃天鹅肉的就是‘癞蛤蟆’。”

唐飞问马小跳吃过天鹅肉没有。

“没有。”马小跳老老实实地回答，“天鹅是我们国家的保护动物，就是打死我，我也不吃天鹅肉。”

毛超说：“你刚才不是说不想吃天鹅肉的癞蛤蟆不是好癞蛤蟆吗？”

马小跳无言以对。

毛超笑弯了腰。

毛超这样胡搅蛮缠，马小跳没有耐心跟他多费口舌。何况，要打口水仗，马小跳永远不是毛超的对手。

马小跳一头朝毛超撞去。毛超身体单薄，马小跳一撞，就把他撞翻在地。

哈哈哈……

唐飞、张达都笑起来。毛超那趴在地上的样子，真像一只癞蛤蟆——一只想吃天鹅肉的好癞蛤蟆。

# 黄鼠狼和小鸡

马小跳有一个在玩具厂当厂长的爸爸，但马小跳在跟别人说起他爸爸时，不说他是厂长，只说他是获过金奖的世界著名玩具设计师。因为厂长遍地都是，但玩具设计师就比较少了。那么，世界著名的玩具设计师是少之又少，获过金奖的世界著名的玩具设计师更是凤毛麟角。

马天笑先生每年都要出国，参加一年一度的世界玩具博览会。每次回国，都会带一箱子玩具回来研究。

这次马天笑先生带了一箱子芭比娃娃回来研究。因为芭比娃娃已经风靡世界几十年了，至今还在风靡，这里面一定有它风靡的原因。

在马小跳看来，除了黑色的黑人娃娃、棕色的印第安娃娃、黄色的日本娃娃，那些白人娃娃都是一个样——都有一张天使般的脸蛋，都有一副魔鬼般的身材，只是它们的发型和衣服是各式各样的：头发有金黄色的、酒红色的、黑色的，甚至还有白色的，衣服有穿晚礼服的、比基尼的、婚纱的，还有穿牛仔裤的。

“为什么没有我们中国娃娃？”

马天笑先生说：“我这不是正在设计吗？”

十几个芭比娃娃在桌子上站成一排又一排，像一个美女兵团。可是，马小跳一个都看不上。

“你觉得它们还不够漂亮？”

芭比娃娃是世界公认的标准美女，马小跳居然一个都瞧不上，这就使马天笑先生有点惊讶了。

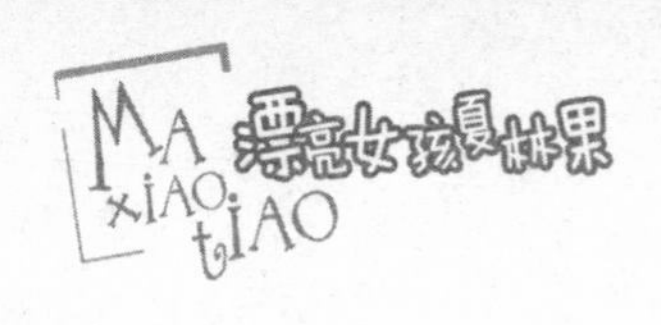


“我们班上的夏林果，比它们都漂亮！”

“夏林果？哪个夏林果？”

“你见过的，和路曼曼一起来我们家过的。”

有一次，马小跳把科学老师的地球仪弄坏了，秦老师叫中队长路曼曼和大队委夏林果一起到马小跳家来，找他的家长赔偿，所以，马天笑先生应该是见过夏林果的。

“我怎么一点印象都没有？”马天笑先生使劲地回忆，还是回忆不起来，“说明这个女孩子不怎么样。”

谁敢说夏林果不怎么样，马小跳是要跟这个人拼命的，不管这个人是谁，哪怕是他

的亲爸爸。

马小跳愤怒地大叫："不许你说夏林果不怎么样！"

"好好好，我不说！我不说！"马天笑先生举手投降，息事宁人，"那你把夏林果带到家里来，让我看看，看能不能照着她的样子做一个中国娃娃。"

马小跳一心想让他的爸爸照着夏林果的样子设计一个中国娃娃，可是，他怎么才能请夏林果到他家里来呢？要知道，夏林果可不是邻居家的安琪儿，随请随到。

马天笑先生想见夏林果，很迫切，他说明天下午他什么事都不做，就在家里等夏林果。

第二天一早，马小跳走进教室就拿眼睛去寻找夏林果，见夏林果的座位空着，就问："夏林果呢？"

一来就问夏林果，马小跳这一反常现象，引起了他的同桌——中队长路曼曼的高度警惕。

"你问人家夏林果，是什么意思？"

"她怎么还没来？"

"人家来不来，跟你有什么相干？"

坐在前面的毛超，转过头来怪怪地笑。马小跳知道

他在笑什么，一巴掌拍在桌子上，吓得毛超赶紧把头转回去。

夏林果终于来了，迈着她那跳芭蕾舞的外八字步，抬着下巴走进了教室。

马小跳松了口气，他就怕夏林果不来。

第一节课下课，马小跳密切注视着夏林果的动静。

夏林果没有离开座位，她的同桌丁文涛也没有离开座位。这个人讨厌得很，曾经说过马小跳是“想吃天鹅肉的癞蛤蟆”，害得马小跳不得不把“不想当将军的士兵不是好士兵”这句名言扯出来，混为一谈，自封“好癞蛤蟆”。

马小跳在心里恨不得丁文涛马上消失，可是丁文涛偏不消失，就像是屁股钉在了椅子上。

马小跳朝夏林果走去。

“夏林果……”

夏林果只看了一眼马小跳，就不再理他。马小跳心里很奇怪：前两天，夏林果还缠着他，问他为什么讨厌她，为什么不理她？现在他理她了，她却又不理他了。

难道真的是那个道理：越是漂亮的女孩子，越是不要去理她。你越不理她，她就越要来理你。

马小跳扭头就走。

这一招还真灵，夏林果追上来了：“马小跳，你找我有什么事？”

马小跳说：“下午放学，我想请你到我们家去。”

“马小跳，你黄鼠狼给鸡拜年——没安好心！”

丁文涛神出鬼没，不知从什么地方冒出来，横在马小跳和夏林果的中间。

马小跳推开丁文涛：“我跟夏林果讲话，没跟你讲话！”

丁文涛护住夏林果：“我要保护夏林果！”

凭什么要他来保护夏林果？如果夏林果需要保护，也应该由他马小跳来保护。

马小跳和丁文涛打了起来。

“不许打架！”

中队长路曼曼一手抓住马小跳，一手抓住丁文涛。

要说打架，三个丁文涛都不是马小跳的对手，所

以，丁文涛十分庆幸刚开打，路曼曼就来了。

丁文涛在路曼曼的耳边嘀嘀咕咕的，不知说了些什么。路曼曼用看黄鼠狼的眼光看着马小跳："马小跳，你到底安的什么心啊？"

马小跳真成了没安好心的黄鼠狼，夏林果真成了需要保护的小鸡。

接下来几节课的课间时间，路曼曼和丁文涛都寸步不离地守住夏林果，根本不让马小跳这只"黄鼠狼"有

半点接近夏林果的机会。

下午放学，马小跳十分沮丧地回到家里。马天笑先生真的在家里等着马小跳把夏林果带回家来。

“马小跳，那个夏林果呢？”

马小跳不会让自己没面子的。

“你以为夏林果是安琪儿，想请就请来了吗？”马小跳还理直气壮，“人家夏林果忙得很，每天下午放学后都要去跳芭蕾舞。你知道吗，夏林果可以踮着脚尖跳小天鹅……”

因为要赶着设计出中国娃娃，马天笑先生着急得很：“我什么时候能见到夏林果？”

马小跳一定要给自己捞回面子。他让马天笑先生耐心地等着，他一定会让马天笑先生见到夏林果的。

# 不用胶卷的数码相机

六一儿童节到了，学校要在阶梯礼堂里举行一个盛大的庆祝会，每个班都要表演节目。马小跳他们班的节目，就是夏林果跳的芭蕾舞《天鹅湖》。

每次表演，夏林果都要找人给她拍照片。她有一本厚厚的影集，里面放的全是她的舞台表演照。

夏林果想找张达给她拍照片，她比较喜欢话少的男生。而在这个班上，咋咋呼呼的男生特别多，像毛超、马小跳、丁文涛，都属于咋咋呼呼一类的。只有两个男

生不属于那一类，一个是唐飞，他爱吃东西，因为嘴巴忙不过来，所以话自然而然就少了；另一个是张达，他说话有点结巴，他知道扬长避短，特别知道在女生面前怎样扬长避短，而他的长处是行动敏捷。所以张达基本上是只行动，不说话，越不说话越显得酷。在夏林果的心目中，张达就是一个很酷的男生。

夏林果抬着下巴，迈着跳芭蕾舞的外八字步，朝张达走去。那时候，张达正在打乒乓球，跟他在一起的，还有马小跳、唐飞和毛超。

“张达，你会拍照吗?”夏林果直奔主题，漂亮女生不用转弯抹角，“我明天表演时，想请你帮我拍照。”

张达还没来得及开口，马小跳和毛超就咋呼开了。

“他连焦距都对不准。”

“摁快门的时候，他的手会发抖。”

连嘴巴没有空闲的唐飞也停止了咀嚼，插了一句：“他们家的傻瓜相机，闪光灯都是坏的。”

“我……我……”

张达本来就结巴，一急，就更说不出话来。马小跳

乘虚而入："夏林果，我们家有部高级相机，我老爸从日本买回来的名牌，明天我给你拍。"

唐飞把马小跳推到一边："夏林果，我们家有部摄像机，明天，我从头到尾，全给你拍下来。"

在他们旁边还有一个丁文涛，他们的话他都听见了，但他不动声色，他知道该怎么办。

马小跳回到家里，就像报喜一样对马天笑先生说："老爸，你终于可以见到夏林果了。"

马天笑先生正为中国娃娃的形象没搞定而发愁，所以他立刻追问："夏林果什么时候到咱们家来？"

"夏林果明天要在我们学校的礼堂表演芭蕾舞，我可以把我们家的相机带去，把她拍下来，再把她的相片带回来。"

其实，马天笑先生是很不情愿把家里那部从日本带回来的高档相机让马小跳带到学校里去的，可他得尽快把中国娃娃的形象定下来，所以只好同意马小跳把高级相机带到学校里去。

"老爸，相机里装胶卷了没有？"

马天笑先生平时会买许多胶卷，都存在冰箱里。他从冰箱里取出一卷胶卷来，正要装进相机里，马小跳又在喊了。

“老爸，三角架是怎么用的？”

马天笑先生忙得满头大汗。胶卷还没装好，他又去教马小跳捣鼓三角架。

“其实你不用三角架也可以。”

“要用的。”马小跳说，“如果我给夏林果照相时，手抖了怎么办？”

第二天，马小跳是脖子上挎着相机，肩膀上扛着三角架去学校开庆祝会的。

“马小跳，你这是干什么？”

秦老师皱着眉头。

“一会儿夏林果上台表演的时候，我给她拍照。”

“谁让你拍的？”

“是夏林果让我拍的。不信，你问唐飞。”

唐飞今天也带了摄像机来，不等秦老师问他，他就抢着回答，而且还添油加醋地说：

“夏林果说，有人给她拍照，她才跳得好；没人给她拍照，她就跳不好。”

秦老师想，夏林果是代表全班表演节目，是为班上争光，就让他们给她拍吧。再说一年才过一次儿童节，何必让他们不高兴呢？

秦老师没有再追究下去，等于是默认了。

马小跳趾高气扬，就怕别人看不见他脖子上挎着一部照相机。

丁文涛凑到马小跳的胸前，看了半天，才说了一句话：“你这部相机真大啊！”

“等我把镜头伸出来，吓死你！”

马小跳把照相机端起来，摁了一下什么机关，只听哧的一声，黑洞洞的镜头伸出来，足有半尺多长。

“哇！”

马小跳的周围响起一片赞叹声。

“看清楚了没有？这才是高级相机！”马小跳把照相机对着丁文涛的脸，“把你脸上的汗毛，一根一根地照得清清楚楚。”

丁文涛笑了一笑，但他是皮笑肉不笑。

庆祝会开始了。校长讲完话就是文艺演出。夏林果是最后一个节目，最后的节目就是最好的节目。马小跳根本不知道前面演了些什么节目，他一心等待的是夏林果的节目。

终于等到了最后一个节目。

当报幕员还没有报出最后一个节目是什么时，马小跳已经冲到舞台上去了。

“马小跳，你干什么？”秦老师拉住了马小跳，“下来！快下来！”

“我上去给夏林果拍照！”

“只准你在下面拍！”

下面拍就下面拍。马小跳手忙脚乱地捣鼓着三角架，还没支起来，夏林果已经开始跳了。

有闪光灯在不停地闪。

除了他马小跳，还有谁带了相机来给夏林果拍照？

马小跳找到闪光灯后面的人，原来是丁文涛。他手里捏着一部巴掌大的相机，在那里猛闪。

这家伙就会玩阴的。

马小跳不会输给丁文涛。三角架也不支了，他举着相机，在舞台下面跑来跑去，镜头追随着舞台上的夏林果，一阵猛闪。

夏林果的节目比较长，丁文涛说给夏林果照了一百多张。

马小跳说，他起码给夏林果照了两百多张。本来嘛，他的照相机比丁文涛那巴掌大的照相机高级多了，当然会照得比他的多。

“什么牌子的胶卷可以照两百多张呀？”

丁文涛怪里怪气地问了这么一句。

马小跳有点心虚了，他知道他相机里面的胶卷是三十六张的，最多能照到三十八张。

“难道你相机里的胶卷可以照一百多张吗？”

“我告诉你，我的是数码相机，根本就不用胶卷，只用一张卡，就可以照到四百张。你懂不懂？”

马小跳傻了。丁文涛那部不起眼的、巴掌大的相机，居然是数码相机，不用装胶卷，就可以照四百张。

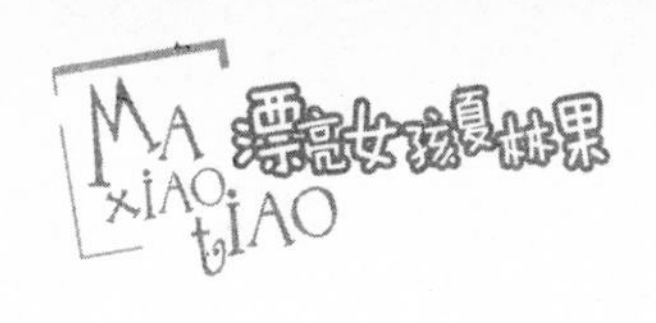


“我还怀疑你的相机里根本就没有胶卷。”丁文涛指指马小跳脖子上的相机，“你最好把它打开看看。”

马小跳真的心虚了，他老爸完全有可能做出这样的事情。

“怎么，不敢打开？”

丁文涛咄咄逼人，把马小跳的肺都气炸了。

“打开就打开！”

哗的一声，马小跳打开了相机。这时候的马小跳，差点昏死过去——相机里真的没有胶卷！

想起马小跳刚才忙得不可开交的样子，班上的男生女生都笑得肚子疼，连秦老师都笑了。

马小跳呀马小跳，你真是白忙了。

# 个性的中国娃娃

马小跳当众出丑！

他惊天动地地忙了一阵，结果相机里连胶卷都没有。而人家丁文涛，神不知鬼不觉，用那部巴掌大的数码相机，一口气就给夏林果拍了一百多张。

最要命的是，这时候夏林果还没来得及卸装，穿着那雪白的舞衣、雪白的芭蕾舞鞋，就朝马小跳跑来了。

“马小跳，你给我拍了多少张？”

“两百多张。”丁文涛抢着回答，“不过都是空镜头。”

夏林果说："我在台上看见，你的闪光灯不是一直在闪吗，怎么会是空镜头？"

夏林果从五岁开始就在舞台上表演，表演经验十分丰富，只要有闪光灯在闪，她就会对着镜头，做出最动人的表情。刚才，她就一直对着马小跳的镜头做表情。

唐飞说："他的相机里根本就没有装胶卷。"

"马小跳，你太小气了！"夏林果满脸都是瞧不起马小跳的神情，"用了你的胶卷，我会还你的。"

马小跳无地自容："我没有小气，我……"

夏林果根本没有耐心听马小跳说下去，她都快哭了："早知道这样，我就请别人给我照了。"

"夏林果，你过来！"

丁文涛神秘地向夏林果招手。

夏林果过去了。丁文涛在给她看那部巴掌大的相机，看着看着，夏林果就笑了。

马小跳很好奇，他也走过去看。原来在那部数码相机的背面，有一个小屏幕，就像看电视荧屏一样，能看见丁文涛刚才给夏林果拍的照片。丁文涛正一张一张地放给夏林果看，真的有一百多张呢！

“这张眼睛怎么是闭着的？”

“没关系，不满意的可以删掉。”

丁文涛当场示范，删掉了那张闭着眼睛的照片。

“哇，这相机太高级了！”

夏林果似乎已经忘记了刚才的不愉快。马小跳看夏林果开心，他也开心，忘记了刚才的尴尬。他拼命地往前挤，身子压在丁文涛和夏林果的肩膀上。

丁文涛扭头一看是马小跳，马上把相机上的屏幕关掉。

“你看什么看？”

“有什么了不起！”马小跳

拧着脖子，边说边走，“我不看就是了。”

就这样输给丁文涛，马小跳怎么会甘心？他又倒回去，大声说道：“夏林果，你知道吗，我爸爸要照着你的样子，做一个中国娃娃。”

“真的？”夏林果立即对那部数码相机没了兴趣，“是像芭比娃娃的中国娃娃吗？”

夏林果在收藏芭比娃娃，已经有二十几个了，就是没有一个中国娃娃，她知道马小跳的爸爸是个玩具设计师，如果能照着她的样子设计出一个中国娃娃，跟那些金发碧眼的芭比娃娃站在一起，多好玩呀！

遇到高兴的事情，总想找一个人来分享，夏林果马上把这件事情告诉了路曼曼。

路曼曼可不像夏林果那么高兴。她的警惕性很高，很快就发现这里面有个问题，她带着夏林果去问马小跳。

“马小跳，你爸爸都没有见过夏林果，怎么可能照着她的样子，设计中国娃娃呢？”

马小跳振振有词：“我爸爸是没见过，但他听说

过。”

“他听谁说过？”

马小跳把他的脸伸过去，跟路曼曼脸对脸：“远在天边，近在眼前。”

路曼曼妒意顿起。她和夏林果是表面要好，心里却一直嫉妒夏林果比她长得好看。她一把推开马小跳，厉声问道：“你怎么说的？”

只要路曼曼生气，马小跳就高兴。他摇头晃脑：“我不告诉你！”

路曼曼可不是那么容易被马小跳气倒的，她逼着马小跳，要他带她和夏林果一起去见马天笑先生。

“你不敢带我们去，就说明你在撒谎。”

马小跳正想把夏林果带到家里去。

“我可以把夏林果带到家里去，但是不能带你去。”

“我必须去！”

好不容易有一个把夏林果带回家的机会，万万不能错过。路曼曼要去，就让她去吧，反正马小跳没撒谎，怕什么？

儿童节庆祝会一结束，路曼曼和夏林果就押着马小跳向他家走去。

在路上，他们遇见了安琪儿。因为安琪儿家跟马小跳家住在一层，所以他们可以一直同路。

安琪儿走到马小跳的身边，悄悄问他："马小跳，你又犯什么错了？"

"走开走开！"马小跳从来不喜欢跟安琪儿走在一起，"我什么错都没犯！"

安琪儿早已习惯了马小跳对她的这种态度，所以她

一点都不生气。

“那她们为什么押着你回家？”

这句话倒提醒了马小跳。马小跳每次犯了错，就是这样被押着去秦老师办公室的。

马小跳转身拦住路曼曼和夏林果：“你们凭什么押着我？”

“谁押你了？”路曼曼伶牙俐齿，“你走在前面是带路，难道去你们家，还要我们给你带路吗？”

人家路曼曼说的有道理，都怪安琪儿。马小跳正想拿安琪儿出气，安琪儿早跑开了。

# 标准微笑

马小跳带着夏林果和路曼曼回到家里，马天笑先生还没回来。路曼曼马上对夏林果说：“我早就知道他是骗你的。”

“我没骗！”

“你就是骗子！”路曼曼拿起茶几上的电话，“你马上给你爸爸打电话！”

“你以为我不敢打？”

马小跳本来就想给马天笑先生打电话。他拨通了马

天笑先生的手机："喂，老爸，夏林果来了。对，现在就在我们家，你快回来吧！"

马小跳刚放下电话，路曼曼又和他纠缠上了。

"马小跳，为什么只说夏林果来了，不说我来了，你什么意思呀？"

"没什么意思。"马小跳现在就想气气路曼曼，"我老爸想见的是夏林果，不是你。难道你也想让我老爸照着你的样子设计一个中国娃娃？"

马小跳把路曼曼气得说不出话来。过了好一会儿，她才说出一句话："马小跳，我要喝水！"

马小跳指了指放在饭厅里的饮水机："水在那儿，自己倒！"

"我要你给我倒！"

"难道你没有长手吗？"

"我是客人！"

"什么客人呀？"马小跳用一个手指刮着脸，"请来的人才叫客人，我请你来的吗？"

"你……"

路曼曼咬牙切齿，恨不得把马小跳吃了；马小跳也咬牙切齿，恨不得把路曼曼吃了。

一直在一旁惊恐地看着他们吵架的安琪儿，赶紧去倒了一杯水，给路曼曼端过去。

"路曼曼，你喝水吧！"

"我不喝，我要马小跳给我倒！"

路曼曼一贯争强好胜，如果就那么喝了安琪儿给她倒的水，太没面子了。

这时候，一直在一旁微笑着看他们吵架的夏林果说话了："路曼曼，你还是喝了吧，马小跳是不会给你倒的。"

路曼曼认为夏林果是在讨好马小跳，正想向她开火，马天笑先生回来了。

"老爸，这就是夏林果。"

"马叔叔好！"

夏林果从沙发上站起来。她的微笑很标准，说话也很礼貌。

马天笑先生并没有像马小跳所想象的那样，见到夏林果后，有如获至宝或被惊呆了的表情，相反，隐隐约约的还有一点点失望。当然，这只有马小跳才看得出来。

马天笑先生的目光很快地从夏林果身上移开，盯住了路曼曼。路曼曼正生马小跳的气，气鼓鼓的样子：脸蛋儿鼓鼓的，眼睛鼓鼓的，小嘴儿鼓鼓的，在马天笑先生的眼睛里，这样子很好玩儿。

"我知道，你就是路曼曼。我经常听马小跳说起你。"

路曼曼狠狠地瞪了一眼马小跳，又朝夏林果翻翻白眼，这才摆出一副公事公办的面孔说：“马叔叔，今天我和夏林果来，是向你证实一件事情。”

“什么事情？”

路曼曼又瞪一眼马小跳：“你是不是要照着夏林果的样子设计一个中国娃娃？”

八字还没一撇的事情，怎么能到处去说呢？马小跳的这个坏毛病什么时候能改？见马小跳拼命地朝自己挤眉弄眼，马天笑先生还是准备给自己的儿子留点面子。

“是有这种想法。”

“只是一种想法，但是还没有定下来，是不是？”

马天笑先生早就知道路曼曼是个聪明的女孩子，但是没有想到她是这样聪明，简直就是一个小精怪。就在这一刹那，马天笑先生动了用路曼曼这种小精怪形象设计中国娃娃的念头。

见马天笑先生走神了，马小跳和路曼曼干上了：“我爸爸今天见到了夏林果，马上就会照着夏林果的样子，设计出一个中国娃娃，是不是，老爸？”

“嗯？”

马天笑先生回过神来，他看看夏林果，她脸上还是那种标准的微笑。他心里遗憾：这么漂亮的女孩子，为什么只有一种表情呢？

等路曼曼和夏林果走了以后，马小跳迫不及待地问马天笑先生：“老爸，你觉得夏林果怎么样？是不是很漂亮？”

“是很漂亮，可是，她脸上怎么只有一种表情？”

“她平时不是这样的。”马小跳也觉得今天夏林果在他们家的表现，有点反常，“她是不是太想你照着她的样子来设计中国娃娃，才故意做出这种表情的？”

一定是这样的。马小跳学夏林果的样子，脸上挤出一个标准的微笑来。

在马天笑先生的脑海里，一直浮现着路曼曼的小精怪形象。

“那个路曼曼倒有点意思。”

“老爸！”马小跳大叫一声，“你的眼睛是不是出了毛病？那个路曼曼一点意思都没有！”

马天笑先生根本不理马小跳，只顾自说自话："如果照着路曼曼的样子，设计一个小精怪一样的中国娃娃，是不是很可爱？"

"路曼曼一点都不可爱！"马小跳说，"如果她知道你要照着她的样子设计一个中国娃娃，我敢保证，她在你面前的样子，比夏林果还傻！"

不能让马天笑先生这么快就把夏林果否决了。马小跳最后的努力，是要让马天笑先生看到一个真实的夏林果，自然的夏林果。

# 人在什么时候最美

以前，夏林果看见马小跳总是爱理不理。自从夏林果到他家见过他爸爸马天笑先生后，在学校里，只要她一看见马小跳，就会拉住他问："马小跳，你爸爸到底决定了没有？"

马小跳装傻："决定什么？"

"决定是不是照着我的样子设计中国娃娃？"

马小跳不会撒谎，不得不实话实说："我爸爸对你不太满意。"

夏林果脸色大变："为什么？"

"我也不知道。"马小跳故意激她，"你敢不敢自己去问他？"

夏林果已经向她的爸爸妈妈宣布了，马小跳的爸爸——世界著名的玩具设计师要照着她的模样设计一个中国娃娃。她的爸爸又把这个消息向她的爷爷奶奶宣布了，妈妈也把这个消息向她的外公外婆宣布了。结果，所有的亲朋好友都知道了这个消息。在这样的情况下，夏林果什么都不顾了，她一定要去问问马小跳的爸爸，为什么对她不满意？

这种事情是瞒不过路曼曼的。她心里高兴，却做出

生气的样子："马小跳，怎么搞的？你爸爸怎么会对夏林果不满意？"

马小跳说："少管闲事。"

"我和夏林果是好朋友，夏林果的事就是我的事。"路曼曼说，"如果你爸爸对夏林果都不满意，这个世界上还有能使你爸爸满意的人吗？"

"有。"

马小跳脱口而出。

"谁？"

"远在天边，近在眼前。"

路曼曼前后左右都看了，在马小跳眼前的人只有她自己。

"你是说我吗？"

"就是你。"马小跳说，"我都怀疑我老爸的眼睛是不是出了毛病。"

路曼曼想起那天在马小跳家，马天笑先生看她比看夏林果的时间还多，她有点相信真有这么一回事了。但路曼曼是个做什么事都要十拿九稳的人，她也想到马小

跳家去问问马天笑先生。

下午放学后，夏林果来跟着马小跳，路曼曼也来跟着马小跳。

马小跳对路曼曼说："你跟着我干什么？"

路曼曼说："夏林果跟着你干什么，我就跟着你干什么。"

马小跳说："夏林果是夏林果，你是你。"

路曼曼说："我是夏林果的好朋友，夏林果的事就是我的事。"

夏林果突然对他俩大声吼道："烦死啦！"

夏林果生气的样子好可怕！马小跳和路曼曼赶紧闭紧嘴巴。

到了马小跳家，马天笑先生正在书房搞设计。那天，路曼曼给了他许多灵感，他已经照着路曼曼的模样设计出一个像小精怪一样可爱的中国娃娃。

"老爸，夏林果和路曼曼来啦！"

"马叔叔好！"

路曼曼的脸上现出标准的微笑，然后，就一直保持着这样的表情。

夏林果虽然也叫了一声“马叔叔好”，但听得出来是不高兴的语气。而且，马天笑先生还发现，那天一直挂在夏林果脸上的标准微笑已经荡然无存，好像转移到了路曼曼的脸上。“马叔叔，你为什么对我不满意？”

夏林果脸上的表情丰富极了，她那又黑又长的睫毛搭下来，鲜艳的嘴唇翘起来，活脱脱就是一个妩媚可爱的中国娃娃。

马天笑先生装腔作势：“谁说我对你不满意？是马小跳说的吗？夏林果同学，我现在就可以告诉你，我对你非常满意。”

“真的？”

夏林果眉开眼笑，眉毛弯弯的，眼睛弯弯的，嘴巴弯弯的，跟那天一直保持着标准微笑的夏林果，简直判若两人。

“老爸万岁！”

马小跳比夏林果还要激动，还要高兴。

马天笑先生似乎已经忘记了路曼曼的存在，他的注

意力一直在夏林果的身上。路曼曼叫了一声“马叔叔”，她的脸上还是那种标准的微笑。马天笑先生挺纳闷的：今天的路曼曼怎么跟那天那个像小精怪一样灵动的路曼曼判若两人？

马小跳也觉得奇怪。

等夏林果和路曼曼走了以后，马小跳问马天笑先生：“老爸，你身上是不是有魔法呀？那天，夏林果见

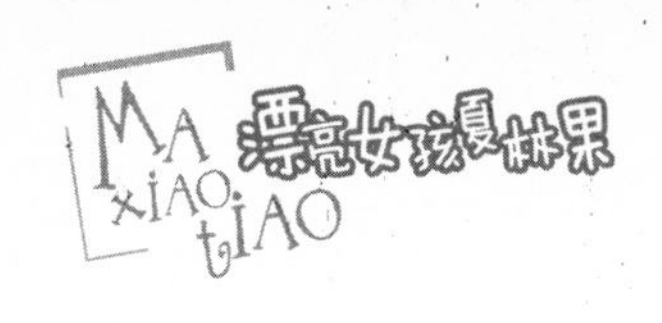


了你，一下子变成另外一个人；今天路曼曼见了你，一下子也变成了另外一个人。”

“那是因为她们都想把自己最美的样子做给我看。但是，她们不知道，美是做不出来的，只有在最自然的状态下，才是最美的。比如那天的路曼曼，比如今天的夏林果。”

路曼曼和夏林果，这两个在马小跳心目中绝顶聪明的女孩子，为什么连这么简单的道理都不懂？是不是人在一些自以为关键的时候，反而会弄巧成拙？

# 嫉妒心在作怪

已经有好几天了，每天下午放学，安琪儿的妈妈接到她以后，马上跳上一辆出租车，朝着跟她们家相反的方向驶去。

“夏林果，你说安琪儿跟她妈妈会上哪儿去？”

路曼曼就是比一般的女孩子有心眼儿。如果她发现有什么异常情况，她一定要追究个结果出来。

夏林果用不屑的语气说：“安琪儿能干什么？”

夏林果从来不把安琪儿放在眼里。她瞧得上的女孩子，要么聪明，要么漂亮，最好是既聪明又漂亮。可是安琪儿，她既不聪明又不漂亮。

“安琪儿肯定有情况。”路曼曼怂恿夏林果，“你去问问马小跳。”

“安琪儿的事情，马小跳怎么会知道？”

“安琪儿的事情，马小跳知道；马小跳的事情，安琪儿知道。”

“那你为什么不去问马小跳？”

“我和马小跳是同桌冤家，我去问他，他肯定不会说。”

路曼曼说的是真的，如果她去问马小跳，马小跳是不会说的。

马小跳就走在她们后面，跟张达、毛超和唐飞他们几个在一起。

夏林果抬着下巴，迈着跳芭蕾舞的外八字步，朝他们走去。

“马小跳！”

马小跳有些受宠若惊，他以为夏林果是来找张达

的。因为夏林果只喜欢找张达，因为张达在他们几个中样子最酷，个头最高，女孩子都喜欢跟这样的男孩子讲话。

“马小跳，你知不知道，这几天下午放学以后，安琪儿的妈妈带她到什么地方去了？”

“去拍电视剧。”

马小跳的话，把大家震了一下。

毛超首先叫起来：“马小跳，你有没有搞错？”

“就是嘛，如果你说夏林果去拍电视剧，我相信；你说安琪儿去拍电视剧，谁相信呢？”唐飞问张达，“你相信吗？”

张达说：“不……相信。”

“不相信就算了。”

马小跳甩开他们，大步向前走。

“马小跳！”夏林果追上去，“安琪儿真的去拍电视剧了？”

“骗你是小狗。”

看起来，马小跳没瞎编，无缘无故的谁愿意当小狗呢？夏林果顿时觉得心里不舒服，她不知道为什么不舒服，但就是不舒服。

路曼曼走过来问："夏林果，马小跳怎么说？"

"不知道！不知道！"

夏林果居然哭了，她想忍都忍不住。她怕路曼曼看见她的眼泪，跑着回家了。

回到家里，夏林果扑在床上大哭起来。她心里太难过了，她跳了这么多年芭蕾舞，除了在电视台录过几次

像，还从来没有拍过电视剧呢。安琪儿这种又丑又笨的女孩子，凭什么去拍电视剧？

夏林果哭了好久，她长这么大，还没有这样哭过，泪水湿了床单一大片。她满脑子都是安琪儿，安琪儿分得很开的两只眼睛，安琪儿的塌鼻子……安琪儿，安琪儿，夏林果恨死了安琪儿。

夏林果已经对自己发了誓，从此以后不再理安琪儿。可是她平时本来就不爱理人，眼睛总是平视前方，下巴总是抬得老高，所以，安琪儿一点都不知道她的想法，见了她照样咧开大嘴巴傻笑。

“不准你对我笑！”

夏林果很生气，她还拍桌子，这根本不是像天鹅一样优雅的夏林果，她好像变了一个人。

安琪儿本来就傻，夏林果这反常的样子，把她吓得更傻了。

“夏林果，你怎么啦？”

“走开！你听见没有？”

夏林果的声音也变了，不像平时那样柔声柔气，更像一只怒气冲冲的猫。

数学课上，老师讲什么，安琪儿一句都没听进去。数学老师请她到黑板前来做一道刚讲过的题，安琪儿根本不会做，站在黑板前发呆。

“安琪儿，你到底会不会做呀？”

同学们等得不耐烦了，数学老师也等得不耐烦了。

“连这么简单的题都不会做，还拍什么电视剧？”

这话居然是夏林果说的。全班同学都看着她，她从来不这样呀！真的很反常。

“夏林果，你说谁拍电视剧？”

夏林果已经后悔刚才没有管住自己的嘴巴，她也不明白自己为什么会那样说。

数学老师见夏林果不回答，就直接问安琪儿：“是你去拍电视剧吗？”

“是。”

安琪儿很诚实地点头。

同学们交头接耳，有的惊讶，有的嘲笑，有的还是不相信。

下了课，数学老师把安琪儿带到办公室，交给班主任秦老师处理。

连秦老师都不相信有人会找安琪儿拍电视剧。

“安琪儿，你最好不要再去拍电视剧了。”

“我要拍。”

安琪儿倔强起来的时候也够倔强的。

“如果是夏林果去拍电视剧，我支持，因为她的学习好；你的学习本来就不好，再去拍什么电视剧，学习就更不好了，我的意见是你最好不要再去。”

所有的人，包括秦老师在内，都认为夏林果应该去拍电视剧，安琪儿不应该去拍电视剧。

夏林果看着安琪儿从秦老师办公室里出来，她一路走一路哭。夏林果的心情复杂起来，说不出是高兴还是不高兴。

# 像男人一样的女导演

秦老师不同意安琪儿去拍电视剧，安琪儿只好去跟导演说，她不能再去拍电视剧了。

导演是女的，可她穿着男人的套头衫、男人的大头皮鞋、男人的牛仔裤，还剪着男人一样的短发，从后面看，就像一个男人一样。她说话的声音很大，当导演的说话必须声音大。

“为什么，安琪儿？你知不知道，你是我们这个剧组里最好的演员？”

安琪儿从来不知道她是这个剧组里最好的演员，她做梦都没有想到过。

导演的声音更大了："安琪儿，戏都要拍完了，你突然说不来了，这到底是为什么呀？"

安琪儿不能说是因为她学习不好。在这个剧组里，从导演到管道具的、打灯光的，上上下下都喜欢安琪儿，因为她会演戏，每次的表演都能一步到位，不像其他的演员，反反复复拍很多次都过不了关。安琪儿要维护她在大家心目中的形象，所以不能把真实的原因说出来。

"我们班上有个女生，长得很漂亮，还会跳芭蕾舞，你去找她来演好不好？"

安琪儿说的是夏林果，她已经知道了夏林果生她的气，她想把她的角色让给夏林果演，夏林果就不会生她的气了。

"安琪儿，别跟我啰唆！"女导演非常霸道地一摆手，"没有人比你更会演戏了。"

"夏林果比我会演戏！"安琪儿快哭了，"真的，导

演，我求求你了！”

“你求我也没用！”导演把手指夹着的烟蒂向地上使劲儿一扔，“安琪儿，你必须演！”

这时候，安琪儿不得不说实话了。

“导演，是我的老师不同意我演，她怕影响我的学习。”

说着说着，安琪儿嘴一撇，就哭了。

导演看着安琪儿，不再朝她吼，声音也柔和了一点：“好吧，安琪儿，我去找你的老师。”

第二天下午，导演真的到学校来找秦老师了。她是开着那辆切诺基来的，这也是男人才开的越野车。

安琪儿从教室的窗口看见那辆黑色的切诺基停在学校门口，就知道是导演来了，她拉着夏林果跑下楼去。

夏林果的劲儿没有安琪儿的劲儿大，只得被她拉着跑。

“安琪儿，你把我拉到哪儿去呀？”

“去见导演，导演来啦！”

她们在楼梯口截住了导演。

“导演，导演，她就是夏林果！”安琪儿把夏林果推到导演的面前，“她是不是很漂亮？她还会跳芭蕾舞……”

导演不听安琪儿讲完，就向前走：“安琪儿，你带我到你们老师那里去！”

安琪儿和夏林果把导演带到秦老师的办公室。导演向秦老师作了自我介绍后，坐下来就点燃了一支烟。

秦老师很少见过这样的人，她有些惊愕地看着导演，心里在琢磨：这导演到底是男的还是女的？

导演的性格直爽，说话不会拐弯抹角，何况，她根本没有闲工夫拐弯抹角。

“秦老师，听说你不同意安琪儿拍戏？”

“是的，我不同意！”秦老师的态度有些生硬，“安琪儿的学习本来就不好……”

秦老师怎么能当着导演的面这样说？夏林果看见安琪儿的脸很红很红，两只分得很开的眼睛里蒙着一层泪水，这时候她心里是同情安琪儿的。

看着安琪儿这样子，导演对她是又怜又爱。为了安琪儿，她甚至可以求秦老师。要知道，她是轻易不求人的。

“秦老师，安琪儿是个难得的好演员，她悟性高，入戏快，表演又极其自然，请你支持一下吧！”

秦老师说：“安琪儿首要的任务是学习，不是演戏。导演，不是我不支持你的工作，换个学习好的同学，我是会支持的。”

秦老师看见夏林果正好在这里，马上把她拉到身边，向导演力荐：“导演，这就有个现成的。她比安琪儿漂亮，她从五岁起就开始跳芭蕾舞，有丰富的表演经验。最重要的是，她学习好，还是大队委……”

秦老师说起夏林果就没完没了，恨不得把夏林果身上所有的优点都说给导演听。她才不管导演皱不皱眉头，硬要夏林果跳一段芭蕾舞给导演看。

安琪儿手脚麻利地把周围的椅子和一些别的东西都搬开，腾出一块空地来，让夏林果跳芭蕾舞。她也跟秦老师一样，满心希望夏林果能被导演选上。

夏林果跳起来，虽然她没有穿芭蕾舞鞋，但她仍然跳得很轻盈、很投入。

秦老师看入迷了，安琪儿看入迷了，就是导演，也不得不在心里赞叹：这是一个芭蕾天才！是一个为芭蕾而生的天才！

夏林果跳完

了，满怀希望地等候导演的评价。

导演说：“你跳得很好，身体条件也很好，天生就是跳芭蕾的料，但是你不适合演戏，更不适合我剧中的角色。好好地跳你的芭蕾吧，你会成为一个举世瞩目的芭蕾明星！”

导演的话一点都不夸张，夏林果听得出来，她是真诚的，这使她感动起来：她的梦想，不就是成为一个举世瞩目的芭蕾明星吗？

“谢谢阿姨！”夏林果向导演鞠了一躬，又对秦老师说，“秦老师，你同意安琪儿去吧！”

“可她的学习……”

秦老师动摇了。

“我会帮助她的。”夏林果用了撒娇的语气，“秦老师，你同意吧！”

秦老师同意了。

安琪儿又像往常一样，下午一放学，就被她妈妈接上出租车，赶到剧组去拍戏。

# 只请一个男生的生日会

夏林果的生日快到了，她妈妈准备在家里为她举办一个小型的生日会，说是请的人不要太多，有那么两三个就行了。

夏林果是一定要请路曼曼的，因为上个星期，路曼曼过生日时刚请了她。夏林果还想请张达，但她不好意思亲自去请，她让路曼曼帮她请。

“请张达？”路曼曼大惊小怪，“夏林果，你请张达，都不请丁文涛吗？”

路曼曼的生日会请了丁文涛，但是，夏林果觉得丁文涛一点都不好玩。

“你觉得张达好玩吗？他连话都讲不清楚，只会吃蛋糕。”

“我就是请张达去吃蛋糕的。”夏林果说，“生日蛋糕那么大，我吃了会发胖，你也吃不了那么多，只有请张达来帮忙……”

路曼曼觉得夏林果说得有道理，就去帮她请张达。夏林果还特别叮嘱路曼曼，不要让别人知道她的生日会只请了张达一个男生。路曼曼请夏林果放心，她的生日会也只请了丁文涛一个男生，所以她不会让别人知道的。

下课的时候，路曼曼找

到张达，他正和马小跳、唐飞、毛超在一起。

“张达，你过来！”

跟他们还有一段距离，路曼曼不过去，大声地命令张达。

“什么……什么事？”

“我有话跟你说。”

“你说……说吧！”

“这话不能让他们听见！”

路曼曼说的“他们”，指的是马小跳、唐飞和毛超，立即引起众怒。

“张达，不过去，看她能把你怎么样！”

张达犹豫不决：是过去，还是不过去呢？

路曼曼下了最后通牒：“张达，你再不过来，你会后悔的。”

张达怕后悔，如离弦的箭一般，射到路曼曼的面前。

“张达，夏林果请你去参加她的生日会，她只请了你一个男生，不许你跟他们几个说。”

路曼曼说的“他们”，仍然是指马小跳、唐飞和毛超。

张达回到他们几个中间，几乎是异口同声，他们都问路曼曼跟他说什么了。

张达不吭声。

“到底说什么啦？”马小跳最急，“你说呀！”

张达还是不吭声。在他们几个中，毛超最有心机，他会拐弯抹角：“张达，你只告诉我们，路曼曼跟你说的，是好事还是坏事？”

张达老老实实地回答：“是……好事。”

唐飞生气了：“是好事，为什么不告诉我们？”

马小跳比唐飞更生气：“你跟路曼曼是好朋友，还是跟我们是好朋友？”

“当然跟我们是好朋友。”每当这种时候，毛超就会跳出来当和事佬，“路曼曼是女生，不可以跟她做好朋友的，是不是，张达？”

张达招了，他怕他们说他是路曼曼的好朋友，不是他们的好朋友。

“路曼曼说，夏林果请……请我去参……参加她的生日会……”

“夏林果只请你一个人？”

张达老老实实地点头。

反应最强烈的是唐飞：“会不会搞错？夏林果最应该请的人是我呀！我是她的同桌。”

毛超提醒他：“现在不是。”

“现在不是原来是。”

毛超也觉得这里面有问题。班上好多同学的生日会都会请他，因为他的废话多、笑话多，有他参加的生日会总是热热闹闹。冷冷清清的生日会有什么意思呢？

马小跳这时候只恨路曼曼，他和路曼曼是同桌冤家，也许人家夏林果是请了他的，就是她路曼曼在作怪。

他们各自怀着自己的想法，分别去找夏林果。

唐飞气急败坏，他是最先找夏林果的。

“夏林果……”

唐飞刚叫了声夏林果，眼睛眨巴眨巴，眼圈就红了。

夏林果不知道发生了什么事："唐飞，你哭了？"

唐飞真的哭了。他从小就爱哭，一哭起来眼泪就像断了线的珠子往下落，别人还以为他有什么伤心欲绝的事呢。

"你的生日会，为什么不请我？呜呜呜……"

夏林果被唐飞的满面泪水吓住了，赶紧说："唐飞，你别哭，我请你，我一定请你！"

唐飞有这种本事：说哭就哭，眼泪哗哗流；说不哭，眼珠子像可以吸水一样，把眼泪收回去。

唐飞欢天喜地地去找毛超："夏林果请我了！"

毛超坐不住了，也去找夏林果。

"夏林果，你知不知道，不请我的生日会会是什么样子？"

夏林果问："什么样子？"

"冷冷清清。"毛超骇人听闻，"冷冷清清的生日会根本就不叫生日会。总之，没有我，你那个生日会就不叫生日会。"

毛超真会缠人，他可以一直缠着夏林果说生日会。

夏林果被他缠烦了，只好同意请他参加生日会。

毛超欢天喜地地去找马小跳：“夏林果请我了。”

马小跳不去找夏林果，却去找路曼曼：“是不是你在搞破坏？”

路曼曼每天都要和马小跳吵几场，已经吵烦了，所以不理他。

“你说，为什么夏林果请了张达、唐飞、毛超去参加她的生日会，偏偏不请我？”

“又不是我开生日会，你问我干什么？”

“我就问你！我偏问你！”

虽然夏林果见惯了马小跳和路曼曼吵吵闹闹，但她还是不愿意这对同桌冤家为了她而吵得不可开交。

“马小跳，你别闹了！”夏林果快哭了，“我请你！我请你……呜呜……”

夏林果哭了，马小跳欢天喜地地跑了，跑去告诉张达、唐飞和毛超：“夏林果请我了！”

# 最酷的礼物

夏林果的生日会，本来只打算请一个男生——张达。结果，唐飞用伤心的眼泪，让夏林果心软了；毛超胡搅蛮缠，让夏林果心烦了；马小跳嫁祸于路曼曼，让夏林果害怕了。总之，夏林果息事宁人地把他们都请了，虽然不是那么心甘情愿。

麻烦的事情还在后头。这事让丁文涛知道了，他现在是夏林果的同桌，他以为夏林果的生日会如果只打算请一个男生，这个男生应该是他。没有想到夏林果已经

请了四个男生，都没有请他。

丁文涛心里有什么话，要拐好几个弯才说得出来。

“夏林果，其实你跟我想象中的夏林果是不一样的。”

夏林果问：“你想象中的夏林果是什么样的？”

丁文涛望着天花板，直翻白眼：“我想象中的夏林果，她的生日会，一定不会请像马小跳、唐飞、毛超、张达这样的男生参加，他们会把整个生日会搅得一塌糊涂，不可收拾，一片狼藉……”

丁文涛自封是“成语大王”，说起成语来就像刹车失灵的汽车刹不住，夏林果最怕他刹不住：“那你……”

“你别打断我的话！”丁文涛知道夏林果想打断他的话，“再说你的爸爸妈妈也不希望你请他们几个，他们会认为夏林果班上的男生，就这样没水准。”

“那你说我应该请什么样的男生？”

丁文涛一点都不客气：“至少是我这样的吧！”

夏林果就知道他会这样说。反正已经请了那么多男生，再多他一个，也没什么关系。

“好，那我就请你吧！”

“怎么用这样的语气，好像心里不情愿似的。”

本来心里就不情愿，夏林果心里想请的男生，只有张达。夏林果突然冲着丁文涛发起脾气来：“我已经请你了，你还要怎么样？”

不爱发脾气的人发起脾气来，是很可怕的。丁文涛赶紧闭上他的嘴巴，不再追究“情愿不情愿”的问题。

接下来的几天里，被邀请参加夏林果生日会的几个男生，都在准备送夏林果的生日礼物。

马小跳从来没有给女生送过生日礼物。就是安琪儿，他只吃过她的生日蛋糕，却没有送过她生日礼物。但是，夏林果不是安琪儿，送给她的生日礼物也不能随随便便。

马小跳要先侦察侦察那几个人送什么，再来决定他自己送什么。

“唐飞，你送夏林果的生日礼物是什么？”

唐飞嘴里在吃东西，不想多说话：“不告诉你。”

马小跳故作惊讶：“哎呀，你现在都还没准备呀？”

唐飞果然上当：“我根本就不用准备，我把出国旅游带回来的纪念品，挑一样送她就是了。”

唐飞去过许多国家旅游，经常在马小跳他们几个面前，炫耀他从国外带回来的纪念品，但从来舍不得送他们一个。毛超就说过，有钱人家的孩子，越有钱，越吝啬。

马小跳又去向毛超打探。毛超说本来他已经买了一张有音乐的生日卡，但他在给夏林果写一些话时，才发现这张生日卡太小了，根本不够写。他准备再去买一张特大号生日卡，把他想说的话都写上去。

马小跳说："你给人家夏林果写那么多废话是什么意思？"

毛超特别生气："马小跳，你凭什么说我写的都是废话？"

马小跳说："除了废话，你还有什么话？"

“你的意思是，我的话，除了废话还是废话？”

马小跳拍拍毛超的肩膀：“恭喜你，答对了！”

毛超恨不得自己学过拳击，一个漂亮的上勾拳，打在马小跳的肚子上。可是他没学过，而且他打不过马小跳，只好把刚才那口气咽下去。

马小跳最后问的是张达。

“张达，你准备送什么呀？”

张达永远是一副睡不醒的样子：“为……什么要送……什么？”

“人家夏林果请你去参加她的生日会，难道你不送礼物吗？”

张达还是睡不醒的样子：“我不……知道送……什么，不送不……行吗？”

马小跳在心里，真为夏林果抱不平。谁都看得出，夏林果对张达最好，可是张达连生日礼物都不打算送给她。唉，越是漂亮的女生，越是让人搞不懂。

马小跳可不像张达，他把送夏林果生日礼物这件事当成当前的头等大事。

马小跳冥思苦想，还是没想出要送一件什么礼物给夏林果。

马小跳打电话给他的丁克舅舅。丁克舅舅都已经三十岁了，还没有结婚。他老送礼物给女孩子，在送礼物方面，他最有经验。

马小跳说："丁克舅舅，我们班一个女生过生日，她非要请我去参加她的生日会不可，你说我送一样什么礼物给她好？"

丁克舅舅的嘴里嚼着苹果，他说"送瓜"，马小跳却听成了"送花"。

马小跳问："送什么花？送几枝？"

"我说送瓜。"丁克舅舅把嘴里的苹果吞下肚，说话也清楚了，"现在什么时代了，还送花？送花的都是傻冒儿。"

马小跳说："对对对，只有像丁文涛那样的傻冒儿才送花。而且，我还能猜到他会送十枝玫瑰花，因为这个女生满十岁。"

丁克舅舅又开始嚼苹果："丁文涛是谁呀？他是你

的情敌吗?”

幸好马小跳没有听清楚丁克舅舅嚼苹果的时候说的话，他想知道的是“送瓜”是什么意思。

丁克舅舅不嚼苹果了，说话又清楚了：“现在是瓜语时代，流行给女孩子送瓜。”

马小跳不懂什么叫“瓜语时代”，也不想懂。丁克舅舅在电话那边说什么“苦瓜”代表什么，“南瓜”代表什么，“冬瓜”代表什么……马小跳一句都没有听进去。他认定了送瓜比送花好，花只能看不能吃，瓜是又能看又能吃。

# 好一个哈密瓜

马小跳接受丁克舅舅的建议，夏林果的生日，就送一个瓜给她。马小跳倒不是赶时髦，什么“瓜语时代流行送瓜”，他只是觉得送瓜比送花实惠，瓜可以吃，花不能吃。

夏林果的生日正好是在周六。周六不上课，马小跳一大早起来，就到超市去买瓜。

超市里的果品架上，堆着许多瓜：西瓜、香瓜、哈密瓜；蔬菜架上，还堆着南瓜、地瓜、苦瓜、冬瓜。现

在的季节好像都乱套了，什么季节都可以结瓜。

几乎连想都没想，马小跳就选中了一个哈密瓜。哈密瓜的样子虽然不好看，但是很好吃，名字也好听。马小跳一直以为，在所有的瓜名中，哈密瓜是最能使人流口水的瓜。

这个哈密瓜又长又大，八斤重，马小跳扛在肩上沉甸甸的。

马小跳直接就把哈密瓜扛到了夏林果的家。

摁了几遍门铃，才有一个穿着睡衣睡裤的男人来开了门。

“请问，你是……”

“我是马小跳，我来给夏林果过生日。”

马小跳扛着哈密瓜就进了屋。

夏林果从她的房间里出来，也穿着睡裙，披着头发。马小跳从来没见过夏林果披着头发的样子，她的头发真长啊！长到了腰那里。

夏林果好像有点不高兴的样子：“马小跳，你这么早就来啦？”

“嗯，来啦！”马小跳还得意扬扬，“我就知道我会是第一个到。”

“可我的生日会是在中午。我现在还没吃早饭呢！”

“你快点去吃吧！”

“你在这里，我怎么吃呀？”

“你就当我是空气，不存在。”

他哪里是空气，他简直就是一颗定时炸弹。开一个生日会，会有好多事情要做。马小跳在这里，不仅帮不上忙，反而会把事情搞得乱七八糟。夏林果终于鼓足

了勇气对马小跳说："马小跳，你先回去，中午再来好不好？"

"好吧！我过一会儿再来！"

马小跳一点都不生气，他一个人在这里也不好玩。

夏林果已经把马小跳都送出了门，马小跳却又返回来，把哈密瓜扛在肩上。他不能把哈密瓜留在这里，待会儿其他的人来了，谁知道这哈密瓜是他马小跳送的？应该在哈密瓜上刻上字。

回到家里，马小跳找了把刀，就在哈密瓜上刻起来，虽然只有几个字，但刻字不是写字，像刻图章一样，差不多刻了一个上午。

快到中午的时候，马小跳扛着刻了字的哈密瓜，走在去夏林果家的路上。远远地看见前面有个背影，肩膀有点窄，而且是一边高一边低，这肯定是丁文涛。马小跳还敢肯定，丁文涛手里捧的是鲜红的玫瑰花。

马小跳追上丁文涛，一看他手中，果然捧的是鲜红的玫瑰花；一数，果然是十枝。

马小跳哈哈地笑起来："丁文涛，我猜中了！"

丁文涛往上推推他掉在鼻尖上的眼镜："你猜中什么了？"

马小跳说："还在昨天，我就猜到你送给夏林果的生日礼物，是十枝玫瑰花。"

"你怎么猜到的？"

"电视上演的。"马小跳用教训人的语气说，"丁文涛，你怎么小小年纪，就给人家女孩子送花，你什么意思啊？"

丁文涛反唇相讥："马小跳，你怎么小小年纪，就给人家女孩子送瓜，你什么意思啊？"

两个人一路吵着，上了电梯还吵，到了夏林果的家门口还吵。还是路曼曼把他俩喝住了。

"人家夏林果过生日，你们吵什么？"

虽然刚到春天，可今天的天气特别暖和，夏林果穿了长袖的白纱裙，像白雪公主。在马小跳的眼里，往日的夏林果已经够美了，今天的夏林果比往日的夏林果美上一百倍、一千倍。他恍然大悟：为什么刚才夏林果赶他走，原来她要梳妆打扮啊！

开始向夏林果送生日礼物了。

路曼曼送的是毛毛熊。马小跳很不以为然，女孩子送女孩子的礼物，除了毛毛熊，还是毛毛熊。

唐飞送的是一只海螺。他一再强调，这是夏威夷海滩上的海螺。马小跳嘴一撇：这样的海螺到处都是，他上次从海南岛带回来的海螺，就跟这个海螺一模一样。

唐飞一定要让夏林果相信，这是从夏威夷带回来的海螺。他把海螺放在夏林果的耳边："你听见没有？这是夏威夷的海涛声！"

夏林果的耳边一片嗡嗡的声音，海螺里面像有许多蜜蜂在飞。

唐飞一定要夏林果回答，她听到的是夏威夷的海涛声。

夏林果说："我还没有去过夏威夷，我怎么知道夏威夷的海涛声是什么样的？"

马小跳哈哈笑起来，毛超也跟着笑起来，他笑得比马小跳还响，所以唐飞气的是他。当他拿出那张写得密密麻麻的生日贺卡，正要高声朗读时，唐飞跳出来打断他："写的全是废话，不准念！"

毛超说："我还没念，你怎么知道是废话？"

唐飞就挨个挨个地问马小跳、路曼曼、丁文涛，问他们知不知道，他们都说知道，最后问夏林果，夏林果也说知道。

知道了还念什么？毛超退到一边，只等着吃生日蛋糕。

轮到丁文涛送礼物了。路曼曼看丁文涛献上的是十枝玫瑰花，就不高兴了："丁文涛，你的礼物一点创意都没有。"

丁文涛说："难道只能给你送花，就不能给夏林果送花？"

哦，大家明白了，原来路曼曼过十岁生日，丁文涛送的也是十枝玫瑰花，难怪路曼曼说他的礼物没有创意，跟电视剧里的一样，会有什么创意！

马小跳以为张达没有给夏林果准备礼物，所以故意将他一军："张达，快把你的礼物拿出来！"

没想到的是，张达居然给夏林果准备了礼物，马小跳的心里顿时不舒服起来：他觉得他被张达骗了。

# 双鱼星座

幸好张达送给夏林果的生日礼物太一般了，就是一支花里胡哨的荧光笔，这才使马小跳心里舒服一点。夏林果从张达手中接过这个太一般的礼物，随手放在一边。

“夏……夏林果，笔上面有……有你的星……星座……”

张达说话本来就结巴，这时候更是结结巴巴。夏林果不明白他在说什么，大家都不明白他在说什么。

张达转动着笔杆，转给夏林果看："这上面有双鱼星座。"

"哇，这个礼物好有创意!"路曼曼抢过张达手中的荧光笔，念起笔杆上的字来："双鱼座——温柔浪漫的鱼儿，善解人意，有同情心，很慷慨，完美主义，想象力丰富，个性温和，有时也很活泼，有超强的包容力，不太有自信，不多愁但善感，三心二意，不善拒绝，是星座中思想最复杂的星座。"

夏林果从路曼曼的手中抢过那支笔，像捧宝贝似的捧在手中："张达，我喜欢这个礼物。"

在场的所有男生，都对张达怒目而视：嘴上说不送礼物，一送就送个这么别出心裁的礼物，好像张达把他们都骗了。

马小跳心中想什么，就一定要说出来，不然他会憋得难受。

"张达，你不是跟我说你没有准备礼物吗?"

"我……我妈妈说……说不能空着手去参……参加别……人的生日会，我看抽屉里有……一盒笔，笔杆上

写着不同的星座，我……我就挑了一支双鱼星座的笔……”

张达很少一口气说这么多话，说得他上气不接下气，说得他满头大汗。

丁文涛从来都不把张达放在眼里，认为他就是一个头脑简单、肌肉发达的人，可他居然还知道夏林果的星座，便对他有些刮目相看。

“张达，平日里看你没头没脑的，你是怎么知道夏林果的星座的？”

张达说：“那笔上写得明明……白白……二月二十一日至三月二十日的生……生日，是双鱼星座。”

一看笔杆，上面果然这么写的，丁文涛再没什么话说了。

但毛超还有话说，他说这笔杆上双鱼星座的人的性格，跟夏林果不像。

“说夏林果不自信，这样走路的人难道会不自信吗？”

毛超学夏林果走路的样子，背挺得笔直，下巴抬得

老高，眼睛平视前方。

“不像不像。”唐飞对张达也有了嫉妒心，刚才，夏林果对他送的那个从夏威夷带回来的海螺，并没有表现出多大的兴趣，所以他要把张达送的礼物批判一番，“一个三心二意的人，能从五岁跳芭蕾舞跳到十岁吗？这是对夏林果的恶毒诬蔑！”

啪！啪！啪！

这是丁文涛在鼓掌。紧跟着，马小跳和毛超也拼命鼓掌。

“干什么干什么？你们欺负人是不是？”路曼曼护住张达，“我觉得挺像的。把双鱼座的人比喻成温柔浪漫的鱼儿，我觉得跟夏林果特别像。”

马小跳说：“夏林果不像鱼儿，像天鹅。”

“马小跳，不许你东拉西扯！我说像，就是像！”路曼曼对马小跳是一种态度，对张达又是另一种态度，“张达，我是水瓶座的，我的生日你还没有送我礼物呢！”

张达实话实说：“你的生日会只……只请丁文涛，又没有请我……我怎么送你呀？”

“哼！”

路曼曼也不管张达了，随便那些男生对他怎么样。

那些男生不想对张达怎么样，只想吃蛋糕。

“慢！”马小跳大喝一声，“我的礼物还没送呢！”

唐飞不耐烦地说：“快点送吧！”

马小跳把哈密瓜抱上来。

“哈——”所有的人都笑起来。

“马小跳，你这是什么呀？”

马小跳把他刻在瓜皮上的字亮出来：“夏林果生日快乐！”

“笑死人了！”丁文涛开始攻击马小跳，“从来没见过，人家过生日给人送瓜的。”

“瓜语时代，流行送瓜。”马小跳开始搬用他丁克舅舅的理论，“现在是瓜语时代了，送花是傻，送瓜才是酷，这是我丁克舅舅说的。”

大家都知道马小跳的丁克舅舅，是个酷得没法再酷的新新人类，这个骇人听闻的“瓜语论”，把大家唬得一愣一愣的。

不管夏林果喜不喜欢，反正马小跳送的哈密瓜，是最酷的生日礼物。

生日蜡烛点起来，还唱了生日歌。生日歌唱得一点都不整齐，马小跳的声音特别刺耳，脖子上的青筋鼓成一条一条的。他太卖力了，他知道唱完生日歌，就有蛋糕吃。

夏林果的生日蛋糕很大，双层巧克力的，随便他们吃。巧克力蛋糕太甜腻，吃得他们今后再也不想吃巧克力蛋糕了。照夏林果妈妈的安排，吃完了生日蛋糕，就应该看夏林果表演芭蕾舞，可大家吃得太饱，肚子饱了就想睡觉，大家都想回家睡觉。

“慢！”马小跳又大喝一声，“我们还没吃哈密瓜呢!”

“马小跳，你怎么这样?”路曼曼觉得马小跳简

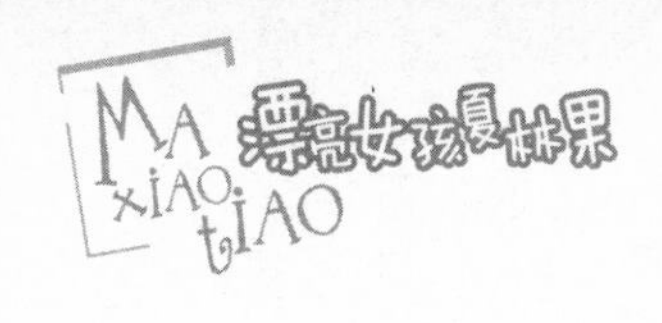


直无可救药，“哈密瓜是你送给夏林果的。”

“我送哈密瓜给夏林果，是给她过生日的。”马小跳又想骇人听闻，“生日会上不吃，就没有意义了。”

其实，马小跳也不知道生日会上吃哈密瓜有什么意义，反正他这么一说，还真把大家唬住了。

丁文涛卖弄他的小聪明：“生日会上吃哈密瓜的意义，是会给夏林果带来好运。”

马小跳不知道有这样的意义，但他同意丁文涛的观点，他拍拍丁文涛的肩膀：“你很聪明。”

路曼曼说：“我觉得生日会上吃哈密瓜的意义，是祝愿夏林果的每一天都过得像哈密瓜一样甜甜蜜蜜。”

这也是马小跳没有想到的意义，他对路曼曼说：“你比丁文涛更聪明。”

切好的哈密瓜端出来了，摆在水晶果盘里，金黄金黄的，很好看。

唐飞用叉子叉了一块哈密瓜送到嘴里，含混不清地说：“我说生日会上吃哈密瓜的意义是爽口，可以解巧克力蛋糕的腻。”

这是马小跳唯一想到过的意义，所以他最后拍板：“唐飞是最最聪明的。”

不管过生日送哈密瓜有没有意义，是什么意义，如果流行起过生日送哈密瓜来，大家不要忘记哦——第一个给别人过生日送哈密瓜的人，是马小跳！

# 把猫寄养在谁家里

夏林果的家里养了一只猫，不是那种很漂亮的猫，是一只普通的猫，普通得没有任何特点，就连它是一只什么颜色的猫，夏林果都说不上来，但它却是夏林果最心爱的宝贝。当夏林果在路边遇见它，把这只奄奄一息的小猫捧在手里的时候，它就成了夏林果最心爱的宝贝。夏林果是把牛奶灌到眼药水瓶里把它一点一点喂大的，然后是她爸爸接着喂，每天买来猪肝、小鱼儿，煮熟了，切碎了，拌在饭里喂小猫。可是现在，夏林果的

爸爸要去美国做访问学者，要去半年，夏林果的妈妈上班是早出晚归，每天忙得给人做饭的时间都没有，哪里还有时间给猫做饭？

夏林果的妈妈要把猫送人，她找了许多人，可人家一看这猫的模样太一般，都以各种各样的借口推辞不要。最后好不容易找到了一户家里老鼠闹得厉害、需要一只猫去捉老鼠的人家，说好明天就要来抱猫了。

但夏林果很舍不得，她想，如果能把猫寄养在哪个同学家，半年之后，爸爸从美国回来，就可以把猫领回家。

夏林果第一个想求助的人是张达。

“张达，我们家有一只猫，我能把它寄养在你家吗？”

张达是百分之百地愿意帮助夏林果的，可是他说：

“为什么是……猫，不是……狗？”

这叫什么话？夏林果没听懂。

“夏林果，你……你知道在……在这个世界上，我最……最怕的动物是什……什么吗？”

夏林果问：“是老虎还是狮子？”

张达说：“不是老虎，也不是狮子，是猫。我小时候，老虎……没抓过我，狮子也……没抓过我，但是猫却抓过我。我的手背上还留着猫爪子抓……过的三道印痕。所以，我现在见了……见了猫，跟老鼠见了猫差……不多。”

一个怕猫的人怎么能爱猫呢？夏林果不会把她最心爱的猫托付给一个不爱猫的人。

夏林果第二个想求助的人是唐飞。唐飞以前是她的同桌，当秦老师把她调去跟丁文涛同桌时，唐飞还哭了呢。

“唐飞，我们家有一只猫……”

“我们家也有一只猫、一只狗，都是很名贵的品种。猫是波斯猫，你知道吗，就是一只眼睛是蓝的、一只眼

睛是黄的那种猫。你们家的猫也是波斯猫吗？”

“不是，是我在街上捡的一只小猫。”夏林果说，“我能不能把它寄养在你家里？”

“夏林果，我是没有问题的。”

真爽快！夏林果暗暗在心里庆幸，找唐飞真是找对了。

“可是——”唐飞语气一转，“如果你要把猫送到我家来，等于是送死。”

“为什么？”

唐飞说：“我们家的猫，仗着自己是贵族猫，见你们家的猫是平民猫，不咬死它才怪！”

夏林果怎么能让自己最心爱的猫去受那种委屈呢？

夏林果第三个想求助的人是丁文涛，丁文涛是她现在的同桌。

“丁文涛，我想请你帮个忙。”

丁文涛比唐飞更爽快：“夏林果，你找我帮忙，算你有眼光——找对人了。”

“我能把我家的猫寄养在你家里吗？”

丁文涛紧张了：“你想寄养多久？”

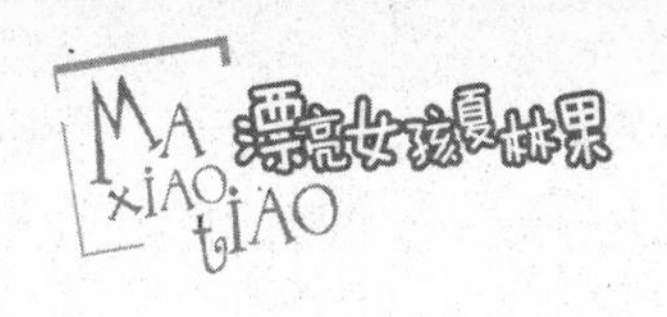


“半年。”夏林果说，“我爸爸出国半年，半年以后，我就把它领回去。”

“半年时间太长了。”丁文涛打退堂鼓了，“两三天还差不多。”

夏林果相信事不过三。她一连求了三个人，三个人都以各种各样的理由拒绝她了。想到明天人家就要到家里来抱猫了，夏林果将再也见不到她从小喂大的猫了，夏林果哭了。

“夏林果哭了！”

“夏林果哭了！”

别的女生哭，不是新闻，但是夏林果哭，就是新闻了，因为她很少哭。同学们不知道夏林果为什么要哭，只有张达、唐飞和丁文涛知道。

这时，张达非常非常恨自己，他恨自己怕猫。如果夏林果要寄养的是狗、是老虎、是狮子，张达会毫不犹豫地答应下来的。

张达很想帮助夏林果，他要帮她找个不怕猫的人。

张达找到马小跳：“马……小跳，你怕不怕猫？”

“我为什么要怕猫？”马小跳说，“怕猫的都是老鼠。”

难道张达是老鼠吗？张达不敢对马小跳说他怕猫，他怕马小跳骂他是老鼠。怕猫是张达的隐私，在男生女生的心目中，张达的形象是天不怕地不怕的男子汉。

张达结结巴巴地告诉马小跳，夏林果哭了。马小跳说：“我又没有欺负她。”

张达又结结巴巴地告诉马小跳，夏林果为什么哭。马小跳还没听完，就冲到夏林果的座位那里去了。

“夏林果，你知不知道，我很生气！”马小跳的样子，真的很生气，“你要寄养猫，你找我呀！”

“你？”

夏林果从来就没想过要找马小跳，把她最心爱的猫交到马小跳手中，早晚会被他玩死。

夏林果想用张达的理由来拒绝马小跳：“你不怕猫吗？”

马小跳说：“我又不是老鼠。”

夏林果想用唐飞的理由来拒绝马小跳：“我们家的

猫不是漂亮的宠物猫，是样子长得很一般的猫。”

马小跳说：“难道样子长得一般的猫就不是猫吗？”

夏林果想用丁文涛的理由来拒绝马小跳：“要寄养的时间很长，不是两三天，是半年。”

马小跳说：“半年就半年。”

夏林果没辙了，她说明天就有人到她家把猫抱走。

马小跳说：“今天下午放学，我就去你家抱猫！”

# 最佳搭档

说好下午放学后，马小跳到夏林果家去抱猫。马小跳好像很不放心，一下课就跑到夏林果座位那里去，反反复复地叮嘱："夏林果，你别忘了哦！放了学，我到你家去。"

马小跳的话，引起了夏林果的同桌丁文涛的警惕。

"马小跳，你是男生，跑到女生家里去干什么？"

马小跳说："不告诉你！"

"我来告诉你。"夏林果说，"马小跳到我家里去抱

猫，我已经决定把猫寄养在他家里。”

丁文涛没话可说了。本来夏林果是想把猫寄养在他家的，可他嫌麻烦，又嫌时间长，拒绝了夏林果。他总不能不准夏林果把猫寄养在马小跳家吧？

下午放学，马小跳从来都是和张达、唐飞、毛超一块儿走的，可今天他不和他们一块儿走，他和夏林果一块儿走。

看马小跳和夏林果走在一起，唐飞就忍不住要去制止：“马小跳，不许你跟女生走在一起！”

马小跳说：“我要到夏林果家去。”

唐飞说：“你去，我们也去。”

夏林果说：“马小跳到我家去抱猫。”

一听说去抱猫，唐飞不吭声了，张达更不吭声了，只有毛超要去。

夏林果刚掏出钥匙来把门打开，夏林果的妈妈就迎出来了。

“妈妈，你怎么在家里？”

夏林果的妈妈说：“人家马上就要来抱猫了，我先回来准备一下。”

不是明天来吗？夏林果刚要问，马小跳已抢在她前头。

“不是明天来吗？”马小跳还抱怨了一句，“太不讲信用了吧？”

夏林果把马小跳悄悄拉到她的房间：“马小跳，那个抱猫的人马上就要来了，你说怎么办？”

马小跳对毛超说：“你不是废话大王吗？现在你去跟夏林果的妈妈讲废话。”

“哎呀，马小跳！”夏林果急了，“这种时候，还讲什么废话？”

“我这是让他掩护我们，”马小跳说，“掩护我们的特别行动。”

毛超和马小跳一向配合默契，他出去找夏林果的妈妈讲废话去了。他知道像她这样年龄的女人，说什么话能使她们开心。

“阿姨，你看起来真年轻，不像是夏林果的妈妈。”

夏林果的妈妈本来看起来就年轻，毛超的话刚好说到她的心坎里去了，但她在嘴上还是谦虚地说：“胡说！不像妈妈，那像什么？”

毛超根本不用想，就说：“像姐姐。”

夏林果的妈妈心花怒放，也顾不得谦虚了：“好多人都这么说。”

“可刚才阿姨还怪我胡说呢！”

毛超故作委屈状。

“好好好，阿姨给你赔礼道歉，我给你削一个大苹果。”

当夏林果的妈妈埋头削苹果的时候，夏林果悄悄地从她房间出来，把猫抱进了她的房间。

夏林果的妈妈把削好的苹果递给毛超，突然想起马小跳来：“刚才跟你一块儿来的还有一个男生，他和夏林果在干什么？”

夏林果的妈妈起身就要到夏林果的房间去看夏林果和马小跳到底在干什么。

“阿姨！阿姨！你最好不要去干扰他们。”毛超拉住夏林果的妈妈，“你坐下来，听我慢慢给你讲。”

编故事是毛超的强项。

“刚才跟我来的那个男生，叫马小跳，他可是我们班上的新闻人物，如果我们班上每天有十条新闻，起码有九条是跟他有关的。难道你没听夏林果讲起过他吗？”

“没有。”

夏林果在家里很少讲班上的事情，如果要讲，也只讲女生的事情，从来不讲男生的事情。毛超可以对马小

跳任意地胡编乱造。

“那个马小跳，是班上成绩最差的学生；夏林果呢，是班上成绩最好的学生。成绩好的同学有责任帮助成绩差的同学，你说是不是，阿姨？”

夏林果的妈妈点头称是。

毛超坐的位置，正对着夏林果房间的门。门开了一道缝，露出马小跳的一张脸，马小跳向毛超眯了一只眼睛，毛超就知道怎么去做。

“阿姨，你看那面墙！”

毛超突然转移话题，他是要转移夏林果妈妈的视线。

夏林果的妈妈转过身去看她身后的那面墙：“墙怎么啦？”

“有点空。”毛超在那面墙上指手画脚，“如果在这里，不，在那里挂一幅画，不，至少挂三幅画，墙就不空了……”

趁夏林果的妈妈去看那面墙的时候，夏林果去厨房找了一卷胶带、一个塑料篮子，拿进了房间。她不愧是

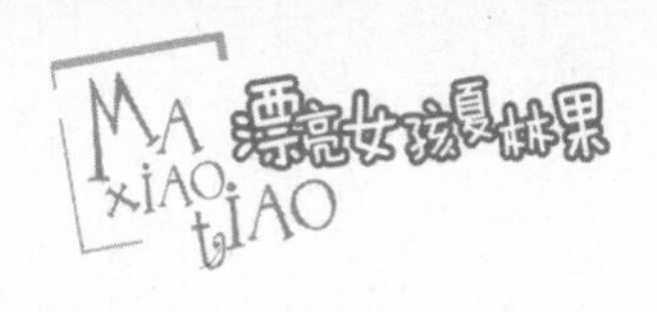


跳芭蕾舞的，用脚尖走路，一点声音都没有。

夏林果的妈妈已经有点烦毛超了，觉得跟他说了半天，几乎全是废话。幸好这时马小跳从夏林果的房间出来了，夏林果的妈妈对马小跳还很关心："完了吗？"

"完了。"马小跳向夏林果的妈妈鞠了一躬，"阿姨再见！"

"这么快就走啦？"

夏林果的妈妈觉得，夏林果帮助马小跳的时间太短了。

"他要走就让他走吧！"毛超怕夏林果的妈妈盯住夏林果，"这个人的脑瓜儿是个木瓜，要给他讲题，非把讲题的人气死不可。"

这话等于是说，夏林果已经被马小跳气死了。毛超说过火了，引起了夏林果妈妈的反感："你怎么不走？"

"我陪你再说说话。"

正在这时，门铃响了。夏林果的妈妈去开门，进来的是那个家里闹鼠灾的人，她来抱猫。

毛超正不知所措，夏林果把房间的门开了一道缝，伸出一只手来，做了个 OK 的手势，毛超知道大功告成。就是夏林果把猫放在篮子里，用胶带把篮子吊到了楼下，马小跳在那里接应。

趁夏林果的妈妈在和来抱猫的人说话时，毛超悄悄溜了出去，到楼下去和马小跳会合。

# 谣言是怎样流传的

自从夏林果把猫寄养在马小跳的家里，她和马小跳的关系就变得亲密起来。以前，夏林果根本不理马小跳，她如果能跟马小跳说两句话，已经是马小跳莫大的荣幸。现在，几乎每天，夏林果都要去找马小跳，跟马小跳好像有说不完的话。

“马小跳，这是小乖乖玩的皮球，你给它带回去吧！”

小乖乖是那只猫的名字，就像妈妈的孩子，在妈妈

的眼里永远是最乖最可爱的。夏林果捡的这只猫，也许在别人的眼里不怎么样，可在夏林果的眼里却是最乖最可爱的，所以她叫它“小乖乖”。

马小跳看那个皮球已经玩得很旧了，就说他家有的是球，什么球都有。

“可小乖乖就喜欢玩这个球。”

马小跳只好收下那个球。不知被哪个同学看见了，一下子就在班上传开了。开始是“夏林果送给马小跳一个皮球”，后来就变成了“夏林果送给马小跳一件礼物”。

“怎么，夏林果又给马小跳送礼物？”有一个同学说，“昨天，我还看见夏林果在楼梯口送给马小跳一件礼物，用纸包着的。”

“真的？”

“夏林果怎么天天给马小跳送礼物呀？”

“这里面肯定有问题。”

其实，那用纸包着的是一包卤猪肝。隔那么两三天，夏林果就会给马小跳一包卤猪肝，让他给小乖乖带回去。

班上的同学七嘴八舌，这些谣言自然也会传到张达、唐飞、毛超的耳朵里。毛超知道内幕：“那是送给猫的，不是送给马小跳的。”

张达和唐飞也知道夏林果送的东西没有一样是送给马小跳的，都是送给猫的，可还是眼红马小跳。张达想，如果他不怕猫，现在哪里轮得上马小跳？唐飞想，如果他没有那个该死的门第观念，现在哪里轮得上马小跳？

最让他们心理不平衡的是，夏林果不去练芭蕾舞的时候，下午放学就会和马小跳一起去超市，给小乖乖买些吃的东西。

他俩去超市，他们也去超市。

马小跳不许他们跟踪他和夏林果。

唐飞说：“超市又不是你们家开的，你们能去，我们为什么不能去？”

毛超是墙头草，风吹两边摇。一会儿，他在马小跳这一边；一会儿，他又在唐飞那一边。这会儿，他就在

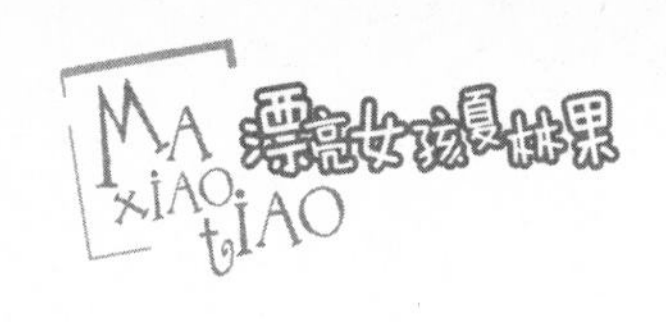


唐飞那一边。

“马小跳，你怕什么呀？你是不是怕我们看见你和夏林果……”

毛超不说完，他们也知道毛超想说什么。

张达突然来了一句：“马小跳长大了，是不是想和夏林果结……结婚？”

张达最爱想长大了的事情。

“呃——”

唐飞打了一个很响亮的嗝儿。他大笑的时候，就会打嗝儿。一想到马小跳这样的癞蛤蟆要和夏林果那样的天鹅结婚，唐飞快要笑死了。

人家张达是说马小跳长大了想和夏林果结婚，可话一传开，就会传走样。传到秦老师的耳朵里，便成了“马小跳现在想和夏林果结婚”。

秦老师找中队长路曼曼来了解情况。路曼曼是马小跳的同桌，又是夏林果的好朋友，她肯定知道他俩很多情况。

“路曼曼，最近一段时间，夏林果和马小跳怎么啦？”

“他俩老在一起。”路曼曼说，“夏林果经常送礼物给马小跳，他们还经常一起去超市买东西……”

秦老师知道，刚开学那会儿，马小跳一门心思地想跟夏林果同桌，是马小跳有问题；现在，夏林果也有问题了。情况已经比较严重了，必须找夏林果来谈谈。

夏林果站在秦老师跟前，还是背挺得笔直，下巴抬得老高，像站在舞台上。

秦老师最擅长挖思想，现在她开始挖夏林果的思想。

"夏林果，你觉得马小跳这个同学怎么样？"

"很好啊。"

"你说一说，他好在哪些方面？"

夏林果像在语文课上，回答课后思考题，一点一点地阐述起马小跳的"好"来。

"马小跳有爱心，他热爱一切有生命的东西；马小跳有恒心，他做事情能坚持到底；马小跳有诚心，他说话算数，他……"

秦老师不想听这些套话，但夏林果说的不是套话，以前马小跳在她的眼里，就是个调皮捣蛋的小男生，自从把猫寄养在马小跳的家里，她才一点一点地发现，其实马小跳身上也有好多优点，刚才说的，就是最近她在马小跳身上发现的优点。

"夏林果，我听说你最近老和马小跳在一起，还和他去逛超市……"

秦老师的表情越来越严峻。夏林果本来想把寄养猫的事情告诉她，但一看她那样的表情，怕给马小跳带来麻烦，就不再开口了。

秦老师语重心长、苦口婆心："夏林果，你是大队委，你一定要注意在同学们中的影响。"

夏林果前脚从秦老师办公室出来，后脚就跟马小跳去了超市。她和马小跳约好的，今天去超市，给小乖乖买一种五香鱼松。

夏林果我行我素，马小跳也我行我素，为了一件共同的事情，他俩该在一起就在一起，该去超市就去超市。时间长了，那些说三道四的人也不想说了，秦老师也不想管了，张达、唐飞、毛超也不再眼红了。马小跳还是那个马小跳，夏林果还是那个夏林果，只不过在许多男生女生心目中，夏林果的魅力又增添了几分：她不仅仅是个漂亮女孩，她更是一个有脾气、有性格的漂亮女孩。

附录
Fulu

TAOQIBAO
淘气包马小跳
系列 典藏版

## 关于童年时代的青梅竹马

采访人：乔世华（辽宁师范大学文学院副教授）　受访人：杨红樱

**$Q_1$**　在以往的儿童文学作品中，很难读到正面描写小男孩小女孩之间两小无猜的情感，因为这个“度”太难把握了。但在您的作品中，除了“马小跳系列”，还有《男生日记》、《女生日记》、《假小子戴安》，这方面的内容都占去了大量的篇幅，而且您都能得心应手，挥洒自如，这个“度”也拿捏得非常好，您是怎么考虑的？

**杨红樱**　我们都经历过童年，童年时期的青梅竹马，是人的一生中最干净、最没有功利的情感，这种天真无邪的美好情感，是值得浓彩重墨去写的。

但是，尽管我们都有童年，都有童年时代难忘的往事，也明白那是一段美好的情感，但是，如果我们自己的孩子在读小学时喜欢异性同学，或是被异性同学喜欢，为什么还是会紧张，甚至感到害怕呢？

**杨红樱** 因为都习惯简单地得出一个“早恋”的结论。其实，小男孩小女孩之间的喜欢，包括喜欢的理由，都是匪夷所思的，没有路数的。大人们往往缺乏去了解的耐心，按照自己的想象，而成人的想象往往带着世俗的杂念。实际上，是大人们世俗的杂念，将小男孩小女孩纯洁的关系变得可怕的。

**Q3** 夏林果是个漂亮女孩，马小跳喜欢她，并不是因为她漂亮。通过马小跳和夏林果的故事，您把我们带进了一个斑斓而又神秘的童心世界。

**杨红樱** 马小跳开始喜欢夏林果，是因为他的同桌路曼曼让他痛苦不堪，时时刻刻都在盯着他的一举一动。有一天，他偶尔听见路曼曼在讲夏林果的坏话，说她“目中无人”，于是，马小跳开始对夏林果产生了强烈的好感，他希望跟夏林果同桌，这样，无论他干什么，目中无人的夏林果就像没看见一样。马小跳喜欢夏林果的理由就这么简单。

**Q4** 马小跳喜欢夏林果的表达方式也挺有意思，他故意将夏林果的橡皮擦弄到地上，还故意将座椅往后靠，想激怒夏林果，以此达到引起夏林果注意的目的。通过这些描写，可以看出您把握儿童心理和年龄特征的深厚功力。

**杨红樱**　这得益于我当老师时对学生的观察。我班上有一个特别漂亮的女生，可偏偏有一个男生叫她“丑八怪”，这个漂亮女生经常向我哭诉她的委屈；还有一个各方面都很优秀的女生，一个男生经常变着花样捉弄她，一会儿将一只毛毛虫放在她的文具盒里，一会儿将她的辫子拴在椅背上。那时，这个女生不明白这个男生“为什么那么恨她”，后来长大了，这些童年往事都成了他们最美好的回忆。

**Q5**　在处理这些事情上，当时作为老师的您，肯定跟马小跳的班主任秦老师不一样。

**杨红樱**　马小跳找秦老师表达他想跟夏林果同桌的愿望，本来他的理由很简单，可秦老师一定要挖他的思想，先入为主地将她自己复杂的想象的东西强加在马小跳身上，她认定马小跳的问题很严重，还让马小跳带一封信回家给他的家长。天真单纯的马小跳不仅把信封了口，还在信上粘了三根孔雀毛，来引起他爸妈的重视。我以为这个细节是意味深长的。

**Q6**　这段文字让人忍俊不禁，同时又让人心里充满了心酸，成人跟孩子怎么就成了两个世界的人呢？

**杨红樱** 大人总是将简单的事情复杂化，而孩子总是将复杂的事情简单化。目前越来越多的家长喜欢读我的书，他们想走进孩子的世界，而我的书在他们看来，就是成人世界和孩子世界之间的一座桥梁。

**Q7** 但是，可能还是有一部分家长，甚至老师，不希望在儿童文学作品中有小男孩小女孩之间朦朦胧胧的情感的内容。

**杨红樱** 不写，不等于没有。其实，每个孩子在小的时候，都会有他特别关注的异性，这是很自然的。我作品中写到这些，也是在对孩子进行情感教育。这是一种生命现象，植物都有雌雄之分，它们只有在一起，才能生长得好。无论是在童年期还是在青春期，都会有某一类男生吸引某一类女生，或者某一类女生吸引某一类男生，这是必然要发生的，我认为根本不需回避，只需告诉他们，这其实不是爱情，而是一生当中最没有功利、最干净的情感。

# 淘气包马小跳系列 典藏版

贪玩老爸

轰隆隆老师

笨女孩安琪儿

四个调皮蛋

同桌冤家

暑假奇遇

天真妈妈

漂亮女孩夏林果

丁克舅舅

宠物集中营

小大人丁文涛

疯丫头杜真子

寻找大熊猫

巨人的城堡

超级市长

跳跳电视台

开甲壳虫车的女校长

名叫牛皮的插班生

侦探小组在行动

小英雄和芭蕾公主